# RESSIGNIFICANDO SUA VIDA

## #ALIMENTAÇÃOSAUDÁVEL

DR. MOHAMAD BARAKAT
**Colaboração Chef Lidiane Barbosa**

# RESSIGNIFICANDO SUA VIDA

## #ALIMENTAÇÃOSAUDÁVEL

**Direção Editorial**
Silvia Vasconcelos
**Produção Editorial**
Equipe Editoral Pandorga
**Revisão**
Marta Fagundes
**Diagramação**
Vanúcia Santos (AS Edições)
**Capa**
Genildo Santana

O #Desafio30diasDrBarakat não tem relação ou substitui em qualquer momento o Whole30®.

**Texto de acordo com as normas do Novo Acordo Ortográfico da Língua Portuguesa (Decreto Legislativo nº 54, de 1995)**

**Dados Internacionais de Catalogação na Publicação (CIP)**
**Bibliotecária responsável: Aline Graziele Benitez CRB-1/3129**

B179r Barakat, Mohamad.

1.ed. Ressignificando sua vida: alimentação / Mohamad Barakat. 1 ed.
– São Paulo: Pandorga, 2018.
240 p.; 16 x 23 cm.

ISBN 978-85-8442-288-3

1. Saúde. 2. Bem estar. 3. Nutrição 4. Qualidade de vida. I. Título.

CDD- 372,37

**Índices para catálogo sistemático:**
1. Saúde: bem estar
2. Nutrição:qualidade de vida

2018
IMPRESSO NO BRASIL
PRINTED IN BRAZIL
DIREITOS CEDIDOS PARA ESTA EDIÇÃO À
VITAL EDITORA
RODOVIA RAPOSO TAVARES, KM 22
GRANJA VIANA – COTIA – SP
Tel. (11) 4612-6404
www.editorapandorga.com.br

“O ALIMENTO QUE VOCÊ COME PODE SER TANTO A MAIS PODEROSA FORMA DE SE MANTER SAUDÁVEL, QUANTO REPRESENTAR UM VENENO PARA O ORGANISMO.”

**Ann Wigmore – Food Matters**

"CADA UM TEM SUA PRÓPRIA TRAJETÓRIA, DESEJOS E ASPIRAÇÃO, MAS A PLENITUDE SÓ É ALCANÇADA QUANDO O EQUILÍBRIO PREDOMINA."

Ressignifique sua vida e viva o equilíbrio real

Dr. Mohamad Barakat

# O DESAFIO

# AGORA É ...

# ressignificar

**• No dicionário**

Dar outro ou novo significado a.

**Fonte:** *https://www.dicio.com.br/ressignificar/*

**Ressignificar** a relação com a comida e, dessa maneira, conquistar mais qualidade de vida. Foi com este propósito que lancei, o #Desafio30DiasDrBarakat. Quando você pensa na palavra "desafio" o que lhe vem à mente? Se você tem uma visão ligada a algo inatingível, maçante, custoso – saiba que isso na verdade é um "fardo". Classifico como sinônimo de "desafio" a ferramenta, aquele "algo mais" que vai servir de força motriz para você evoluir.

O gás que você precisa para repor as energias e manter-se firme. Consiste em quebrar barreiras e se transformar! É desta forma que compreendo o nosso "Desafio 30 dias". Muitos já conhecem o que propõe esta iniciativa, que trata de alcançar qualidade de vida por meio da ressignificação da forma como nos relacionamos com aquilo que comemos.

O #Desafio é fruto de uma experiência que fiz comigo, quando decidi mudar e dizer não a tudo aquilo que era nocivo ao meu organismo, que danificava minha mente e espírito. Hoje, com mais de 50 mil vivências compartilhadas por meio da *hashtag*, confesso que ver tanta gente se propondo a entregar-se a essa verdadeira revolução alimentar (em tempos de tanto lixo industrializado!) enche meu coração de #Gratidão!

Quando você pensar em desistir, lembre-se de que toda mudança – sobretudo alimentar – pode incomodar no início. Afinal, para aqueles que comem doces e massas desde a infância, adequar a rota irá requerer esforço. Por isso a proposição do desafio nada tem a ver com dieta, mas sim, com uma reeducação alimentar. Não se trata de uma restrição, mas de substituições. De em lugar de um refrigerante, dar preferência a uma água de coco natural. Em vez de açúcar refinado, ingerir o de coco, mascavo e outros. As opções são vastas. Por isso no **#DESAFIO-30DIASDRBARAKAT** o objetivo é promover a experimentação de um novo estilo de vida por meio da alimentação e, com o tempo, transformar isso em uma rotina.

Assim, durante o período de um mês, gradativamente, alguns alimentos deverão ser retirados das refeições. Por meio desta exclusão de determinados produtos será possível avaliar mudanças no organismo – que vão desde bem-estar, melhoras no desempenho do seu sistema autoimune (redução de alergias respiratórias, por exemplo), na produtividade, no funcionamento do intestino e, mais importante, na autoestima.

Um desafio não deve ser encarado como algo inatingível, mas sim uma ferramenta que servirá de força motriz para você evoluir. Saiba que perder peso é consequência de uma mudança de atitude que envolve compreender o que é comida de verdade, identificar os gatilhos que levam a procurar determinados produtos – como doces, industrializados, embutidos... os antinutrientes. É preciso, sobretudo, dizer não aos velhos hábitos!

Após ler esse livro vocês compreenderão ainda mais o que apresentei em minha primeira obra **Pilares para Uma Vida Saudável #Escolhi Ser Feliz (Ed. Pandorga - 2017).**

Por isso, quando escolhi o tema de meu segundo livro, pensei em algo que pudesse complementar aquilo que apresentamos em nossa primeira obra, "Pilares para uma Vida Saudável #EscolhiSerFeliz" e conectar vocês ainda mais com esse processo de ressignificação corpo, mente e espírito. E, por acreditar que aquilo que comemos está intimamente ligado com essa transformação, fiz desse assunto o alvo de cada uma dessas páginas que vocês tem agora em suas mãos. Mais que desafiar-se, Ressignifique-se!

Participem e compartilhem comigo suas histórias de transformação usando #Desafio30DiasDrBarakat!

**E LEMBREM-SE:**
não há fórmula mágica,
mas sim a soma de

MUDANÇA DE ATITUDES + DETERMINAÇÃO + FOCO + PERSEVERANÇA

**#DesafioRessignificamente**

# Dedicatória

**Querida Dona Rosa,** minha mãe, que com simplicidade e amor verdadeiro transformava cada alimento que levava à nossa mesa em sinônimo do cuidado e carinho que tinha com meu pai, comigo e cada uma de minhas irmãs. Mãe, se fechar meus olhos ainda posso ver a senhora na cozinha, sorrindo, enquanto esperávamos ansiosos por mais uma receita sua! Ainda posso sentir o cheiro bom que saía do fogão!

**#gratidão**

# Sumário

# In tro du ção

**Quando eu era criança**, minha família recém-chegada ao Brasil tinha nos momentos das refeições, um dos mais prazerosos de nosso dia. Era o tempo em que nos reuníamos e podíamos juntos desfrutar dos alimentos que papai (seu Ali Barakat) trazia, e minha mãe (dona Rosa) preparava para nós, eu e minhas irmãs, e quem mais aparecesse em casa.

Nem sempre houve fartura. Chegamos imigrados do Líbano com o pouco para sobrevivermos num país que nos acolheu e que hoje chamamos de lar. Com o tempo, esforço e perseverança de meu pai, nossa condição foi melhorando e, como tínhamos de investir bem os ganhos, era no supermercado, na comida, em que dispendíamos nosso dinheiro.

Minha mãe, dedicada, transmitia seu amor por cada um de nós em cada prato que fazia. Foi dela que herdei o valor pelo alimento e a gratidão pela comida sobre a mesa. Ainda posso ouvir o som das panelas cozinhando e sentir o cheiro de seus deliciosos pratos! Obrigado, Dona Rosa!

Entretanto, com o tempo, para mim, o ato de comer passou a ter um significado que ia além do nutrir. Na infância, sobretudo na juventude, era nos alimentos que eu encontrava reconforto, tranquilidade. Eu supria minha saúde emocional, ali, à mesa. O que não conseguia expressar com palavras, transferia para o garfo. O resultado de exageros e descontroles resultou em um Mohamad Barakat obeso.

Após algum tempo – e muito *bullying* por conta de minha forma física e minhas características de um típico libanês –, compreendi que aquele não era o caminho. Que para mudar meu destino era preciso rever minhas atitudes.

Foi quando comecei a olhar para meu interior, ter mais fé em Deus, compreender que ao meu redor o Universo emanava energia conforme aquilo que eu ia semeando. Assim, fui equilibrando corpo, mente e espírito.

Passei a ressignificar a maneira com que a comida fazia parte de minha vida. Não mais como uma fuga, um resgate, mas sim, como fonte de saúde, qualidade de vida! Tornei-me médico por acreditar que da mesma forma que consegui transformar minha história, poderia passar adiante minha experiência e, com isso, auxiliar pessoas a ressignificarem sua relação com a comida essa palavra está tatuada na minha alma e no coração, acreditem – está em tudo o que faço!

Comida é fonte de vida, de nutrição e ferramenta essencial para o bom funcionamento do organismo. Acredito verdadeiramente que o alimento é nossa Medicina, como nos ensinou Hipócrates – o pai da Medicina, milhares de anos atrás. Para tanto, precisamos lançar fora o hábito de consumirmos ultraprocessados, industrializados e, como costumo dizer, descascarmos mais do que desembalarmos produtos alimentícios.

Esse, que é meu segundo livro, nasce com esse propósito. De alcançar você onde estiver e mexer com suas estruturas. Espero que possa conduzir você em uma jornada de volta às raízes alimentares e, assim, auxiliar você a revisitar a origem de velhos hábitos e recomeçar uma nova história. Descubra o valor daquilo que você come, prove sabores. Sinta os alimentos. E mais: ouse. Ouse prepará-los! Quando colocamos as mãos naquilo que consumimos, podemos transmitir um sabor único, extraordinário: o do amor.

Costumo dizer que o ingrediente secreto das receitas elaboradas pela Rainha, minha esposa Adriana Cavalieri, é o amor. Foi assim que nasceu a série de postagens semanais em minhas redes sociais: "Receitas da Rainha". Foi um meio que encontramos de compartilhar opções saudáveis de pratos e mostrar que é possível, sim, comer bem, com qualidade nutricional, sem deixar de lado o sabor.

Além disso, assim como nas "Receitas da Rainha" virtual, conto nesse livro com a colaboração de um time forte! Minha equipe de nutricionistas do Núcleo de Nutrição do Instituto Dr. Barakat, que deu o suporte às informações que vocês verificarão sobre o valor nutricional dos alimentos.

A *Chef* Lidiane Barbosa, que assina as receitas apresentadas nesse livro, nos traz uma proposta que mostra como é possível, sim, comer bem com o que temos à disposição em nossa casa! Ela, com quem tenho uma parceria, representa nesse livro os demais chefes que têm colaborado comigo para transformar o universo da alimentação em um lugar harmonioso, saboroso e nutritivo. Fonte de saúde! A *Chef* Lidi nos apresentará receitas que devem estimular vocês nesse caminho que pretendo abrir, de ressignificação alimentar. Inclusive, ela tem um projeto chamado "Crescer e Semear", que trabalha com o que considero a base: as crianças. Sim, é na infância que se originam nossos gostos alimentares. É para onde nosso olhar deve estar voltado e, como adultos, pais, avós, cuidadores, devemos conduzir as crianças no caminho da alimentação saudável.

Em casa, eu e a Rainha procuramos introduzir a nossa filha Luanna no preparo das refeições. É uma maneira que encontramos de mostrar a ela o valor da comida, bem como plantar dentro dela o pertencimento aos alimentos que preparamos e consumimos em casa.

Acima de tudo, esse livro é dedicado a você e esperamos que mais do que ler as páginas seguintes, você possa sentir e vivenciá-las verdadeiramente! Permita-se ressignificar o sentido do alimento em sua jornada!

**Fique atento para esses símbolos durante a leitura, eles vão trazer dicas importantes para sua alimentação e saúde.**

- P Pele
- R Sistema respiratório
- I Sistema imunológico
- M Metabolismo
- C Coração e circulação
- D Sistema digestivo
- N Sistema nervoso e cérebro
- E Sistema endócrino
- J Juntas e ossos
- U Sistema urinário e reprodutivo

Quanto
**maior**
a durabilidade
do produto
industrializado
**menor** será
a validade
de sua saúde.

*Dr. Mohamad Barakat*

CAPÍTULO 1

# ÓLEOS & GORDURAS

**Cozinhar, refogar, untar, assar.** Estas são algumas das possibilidades culinárias do uso das gorduras e óleos. Estes elementos sempre foram parte integrante da alimentação humana, sendo utilizados em praticamente todas as receitas.

Existem diversos tipos de óleos e gorduras que estão à nossa disposição para consumo. As gorduras geralmente são derivadas de animais e tendem a ser sólidas à temperatura ambiente, enquanto os óleos geralmente são derivados de plantas e são líquidos.

Mas, será que todos convêm quando o assunto é saúde do organismo?! A resposta é não. Por ser um item que integra nossa dieta é preciso ter atenção na hora de escolher. Existem aquelas que são consideradas boas para o organismo e as que podem ser tóxicas. Vamos compreender o que as difere.

Com base nesta análise acredito que você vai pensar duas vezes no que irá entrar na sua cozinha.

Quando o ser humano deteve o conhecimento da química aplicada à nutrição, houve uma deturpação da comida de verdade, que sofreu a adição de ingredientes como acidulantes, conservantes, corantes e tantos outros antes com nomes que muitos de nós, se não for um químico, não saberá ler e muito menos pronunciar.

Assim, quimicamente falando, quando pensamos na estrutura molecular da gordura devemos compreender que se trata da conexão de glicerol e ácidos graxos (formados por cadeias de carbono ligadas a átomos de hidrogênio). Estes, por sua vez, se dividem em saturados e insaturados.

Quando já está **saturado**, como é o caso da manteiga ghee, da banha, do óleo de coco, este tipo de gordura, quando aquecida, quimicamente não se transforma, pois sua estrutura já está saturada. Logo, é bom para consumir.

Já os óleos **insaturados** como os vegetais foram extraídos de várias sementes a partir de reações químicas. Os mais comuns incluem o colza (óleo de canola), de soja, o milho, o girassol etc. que quando expostos a altas temperaturas, sofrem oxidação e se transformam em gorduras trans, estas nocivas ao organismo. Isso sem falar que a soja comercializada é, em sua maioria, transgênica. O chamado de canola, então, é totalmente derivado de reações químicas.

**TODO ÓLEO VEGETAL É MALÉFICO?** Não, não. Como dissemos acima, apenas aqueles cujos insumos são insaturados, que quando aquecidos, se transformam e perdem suas propriedades nutricionais. E, sobretudo, aqueles que são gerados de maneiras não naturais, ou seja, corrompidos pela indústria – como o caso dos famosos óleos que se convencionou chamar de óleo de cozinha – que são os vegetais insaturados que citamos acima.

## AFINAL, O QUE É BOM PARA O CONSUMO?

Neste capítulo do livro vamos conhecer mais sobre os óleos e gorduras mocinhos da saúde – os vegetais como o óleo de coco, o azeite de oliva extravirgem. E gorduras animais, como manteiga ghee e a banha.

# TIPOS DE GORDURAS

## Há basicamente três grupos de gorduras:

## saturadas,

## insaturadas (monoinsaturadas e poli-insaturadas)

## e trans.

*Estas palavras descrevem quantos átomos de hidrogênio ocorrem em uma molécula de gorduras e óleos, em comparação com os átomos de carbono. Quanto mais hidrogênio do que o carbono possuir, mais saturado é. O que os torna nocivos é a maneira com que são manejados pelos processos industriais, responsáveis por convertê-los em óleos.*

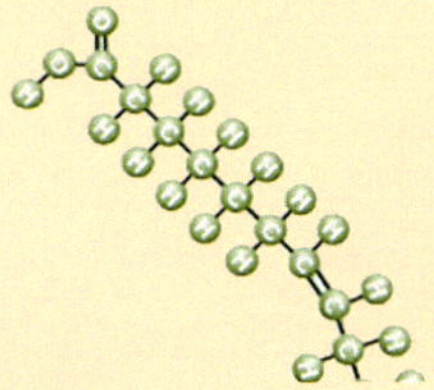

A estrutura molecular da gordura não saturada mostra espaços disponíveis para que átomos de hidrogênio possam se ligar.

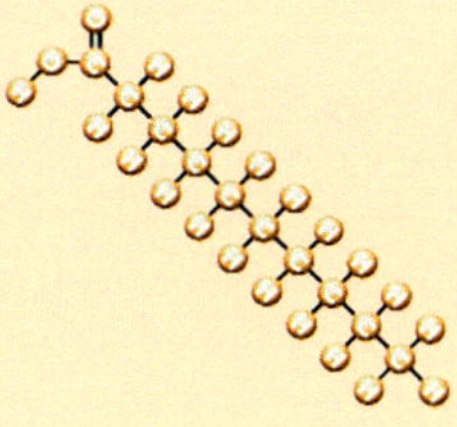

Na molécula de gordura saturada, todo o espaço está saturado de moléculas de hidrogênio.

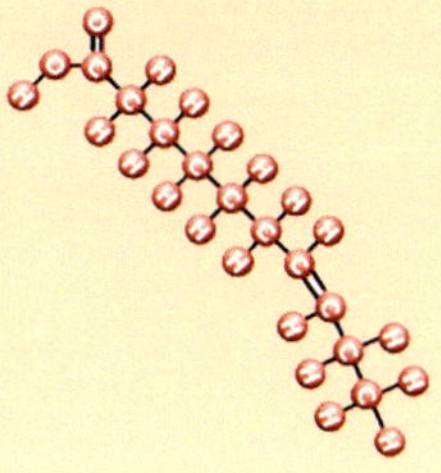

Estrutura molecular da gordura trans.

**Saturada encontrada no** óleo de coco e manteiga.
Também presente em alimentos como a gema de ovos.

Saudáveis e fundamentais para regular a função **reprodutiva, cardíaca** e **cerebral**, essas gorduras se convertem diretamente em energia no corpo, sendo mais fáceis de serem utilizadas.

## Insaturada onde está?

Óleo de abacate, azeite. Também presente em alimentos como nozes e sementes.

Pode ser Monoinsaturada ou Poli-insaturada. Esse é um tipo de gordura encontrada em uma variedade de alimentos e óleos. Seu consumo contribui com uma melhora nos níveis de colesterol no sangue e de açúcar, o que pode diminuir seu risco de doença cardíaca e diabetes mellitus tipo 2.

**COZINHAR COM GORDURAS INSATURADAS, o tipo encontrado em óleos vegetais, corrompe suas propriedades e cria radicais livres, que são o oposto dos antioxidantes. Isso é muito RUIM, pois pode ocasionar inflamação no corpo, aumentando o risco de doença cardíaca e diabetes. O óleo de canola, por exemplo, é monoinsaturada.**

## TRANS OU COMO PREFIRO CHAMAR "GORDURA TÓXICA"

**Encontrada nos** óleos vegetais como canola, soja, girassol e milho.

Este é o grupo de gorduras "artificiais". É um subproduto de um processo chamado hidrogenação que é usado para transformar óleos saudáveis em sólidos e para evitar que eles se tornem rançosos. Não existe um nível seguro de consumo deste tipo de gordura.

Seu consumo é fator de risco para doença cardíaca e muitas outras condições inflamatórias. A gordura trans é formada a partir de processos químicos. Fique atento: quase todos os produtos industrializados tem em sua formulação este tipo de gordura.

**Afinal, para que serve a gordura no organismo**

**As células que compõem nosso corpo possuem gordura. Entre as propriedades deste macronutriente está a regulação da função cerebral. Os hormônios provêm de gorduras saturadas e colesterol. Pode influenciar na energia, no humor, na saúde do cabelo, da pele, das unhas. Por isso, quando ingerimos gorduras de má qualidade, o corpo poderá sentir o impacto de nossas más escolhas.**

*Pensem bem!*

## GORDURA SATURADA VILÃ OU MOCINHA?

**CHEGA DE TER MEDOOOOOOOOOOOO**

**Sobre a gordura saturada** – por muito tempo ela esteve presente entre as vilãs. Mas, será mesmo que ela é uma vilã para a saúde?

> **Para responder, precisamos compreender de qual alimento estamos falando. Se for da manteiga ghee, da carne natural e da linguiça que vêm direto do criador estamos falando de COMIDA SAUDÁVEL!**

Agora, se estamos tratando destes mesmos produtos, mas na forma de embutidos, industrializados, que contêm na sua formulação conservantes, nitrato, preservantes e outras substâncias, aí sim, estamos entrando no território do **risco à saúde**.

Por muitos anos a gordura saturada foi tratada como igual pelos pesquisadores. Volto a dizer aqui que, como um macronutriente, a gordura tem seus benefícios ao organismo e erroneamente a Medicina tem associado uma de suas formas como a causa principal de doenças cardiovasculares.

De fato, a gordura saturada tem, sim, seus pontos negativos, assim como qualquer outro alimento, pois tudo se baseia em dois pontos importantes: **o excesso e a qualidade do produto**.

## #Desafio30DiasDrBarakat

| INCLUA | EXCLUA |
|---|---|
| Azeite de Oliva | Óleo de Canola |
| Banha | Óleo de Girassol |
| Manteiga Ghee | Óleo de Milho |
| Óleo de Coco | Óleo de Soja |

# CONHEÇA OPÇÕES SAUDÁVEIS PARA SUAS RECEITAS

## AZEITE

**O azeite de oliva** que deve ser preferencialmente o extravirgem (menor acidez) é benéfico, desde que não submetido a altas temperaturas, pois irá oxidar.

**Atenção: para consumi-lo, o azeite deve estar à temperatura ambiente, exatamente para que se mantenham suas propriedades. E prefira a embalagem de vidro, não em lata, sendo melhor, frascos escuros.**

O azeite é uma gordura monoinsaturada. Ele **é ingrediente cativo na dieta Mediterrânea**. Podemos dizer que pensou nesse estilo alimentar, pensou em "azeite". Acrescento aqui que as gorduras poli-insaturadas, presentes em nozes, sementes e peixes oleosos, também compõem este universo.

A Mediterrânea é reconhecida por suas propriedades em prol da saúde do coração. Este estilo alimentar pode contribuir para reduzir **em 30%** o risco da incidência de problemas cardiovasculares e acidente vascular cerebral (AVC). Ela pode ainda auxiliar a diminuir a probabilidade de haver diabetes mellitus tipo 2.

**O azeite** é bom, pois **abriga antioxidantes naturais, rico em vitamina E, betacarotenos e ácidos graxos monoinsaturados,** que, por sua vez, derrubam os radicais livres que participam da instalação de placas de gordura nas artérias. O azeite extravirgem contribui para elevar o colesterol bom (HDL).

## c BANHA

Acredito que muitos fiquem desconfiados ao ouvir a palavra banha entre os ingredientes de uma refeição, correto?! Vamos acabar com esta visão agora mesmo!

Novamente entramos na questão de conhecer os alimentos e seus compostos nutricionais, antes de criar estigmas em torno deles. Antigamente, principalmente na época dos nossos avós, a comida era preparada de um jeito muito especial, com ingredientes que vinham da própria natureza ou da criação de subsistência, ou seja, de uma fonte confiável.

Pelo que podemos observar o ponto nevrálgico que torna um alimento pobre em valores nutricionais ou com riscos à saúde, é quando este é submetido ao processo industrial.

Portanto, embora ainda seja vista por alguns como grande vilã, a banha pode, sim, fazer muito bem para a saúde desde que consumida da maneira certa e com moderação!

A banha é proveniente de gordura animal. Ela pode ser de porco, a mais usual, mas aos que por alguma questão não consomem porco e seus derivados, há opções como a banha de pato e de avestruz, por exemplo. O importante é que ela seja artesanal, direto do produtor, sem ter sido submetida a processos industriais, que integram na fórmula substâncias como nitritos e nitratos.

**Você SABIA?** **Ao contrário do que se imagina, a banha atinge a temperatura certa para fritar os alimentos muito mais rápido e, por não ter sofrido processo de industrialização (ou seja, nada de banha indus-**

trializada, ok?!), não contém o grande número de compostos tóxicos à saúde, como radicais livres que, como sabemos, podem causar câncer se consumidos por muito tempo.

Outro mito que a Indústria nos fez acreditar por muito tempo foi que a banha de porco causa doença cardíaca, o que é um grande engano, visto que a gordura animal é completamente saudável ao organismo.

E você? Depois dessas informações ainda vai ficar refém dos óleos industrializados?! A escolha é sua!

## MANTEIGA GHEE

Vamos falar da Ghee: este tipo de manteiga nada mais é do que o óleo purificado da manteiga, em que são removidos completamente toda a água e os elementos sólidos e toxinas da gordura do leite e lactose.

A transformação pela qual a ghee passa faz com que o alimento se torne muito mais saudável e esse é um dos principais benefícios desta manteiga. A ghee – **quando preparada adequadamente** – apresenta as seguintes qualidades: não contém sal, não contém lactose, não produz fumaça em temperaturas altas, não necessita de refrigeração.

É utilizado por naturopatas em diversas culturas, que extraem seus poderes curativos e rejuvenescedores. E para aqueles com alergias graves a laticínios, é uma parte integral da dieta com alto grau de restrição. Além disso, quem tem intolerância à lactose ou quer retirar produtos que contenham essa substância do cardápio, fará uma boa escolha! Como o processo de clarificação da manteiga elimina os traços de lactose do alimento, essa pode ser uma opção para pessoas que sofrem com intolerância.

Porém, ao contrário do que muitos imaginam, ela não deixa de ser um alimento rico em gordura. Contudo, quem consome a manteiga normal pode encontrar na ghee uma opção muito mais pura e menos prejudicial à saúde. Consumo consciente é a medida exata do que é preciso para se beneficiar da ghee.

## c ÓLEO DE COCO

Hora de falar dele: o óleo de coco. Este óleo é composto por triglicerídeos de cadeia média (ou ácidos graxos de cadeia média), especialmente o ácido láurico, que são gorduras saturadas boas para a saúde! Só isso já significa sinal verde para o seu consumo na culinária! Ou seja, ele é bem-vindo na sua cozinha!

Existem dois tipos do óleo de coco. O primeiro é produzido a partir do coco seco e, o segundo, com o coco fresco, sem o uso de altas temperaturas ou processos químicos em sua extração, o que já o torna diferenciado da maioria dos óleos vegetais e pode classificá-lo como benéfico para nosso organismo.

O coco possui além de valores nutricionais, medicinais. As partes de seu fruto, como a semente de coco e água de coco macia têm inúmeras propriedades medicinais, tais como antibacteriano, antifúngico, antiviral, antiparasitário, antioxidante, hipoglicêmico, hepatoprotetor, imunoestimulante. Além disso, contribui para a atividade cerebral, ou seja, o bom funcionamento de nosso cérebro. Querem melhores motivos para consumi-lo?

O óleo de coco, derivado do fruto de coco, tem sido historicamente reconhecido por conter altos níveis de gordura saturada (**que já vimos neste capítulo, ser boa para o organismo, certo?**), é classificado como altamente nutritivo, um alimento funcional.

Ao contrário da maioria das outras gorduras que são ricas em ácidos graxos de cadeia longa, o óleo de coco compreende ácidos graxos de cadeia média (MCFA) – que são facilmente absorvidos e metabolizados pelo fígado e podem ser convertidos em cetonas. Corpos cetônicos são uma importante fonte de energia alternativa no cérebro, e podem ser benéficos para as pessoas que apresentam algum comprometimento de memória, até mesmo na doença de Alzheimer (DA).

É rico em fibra dietética, vitaminas e minerais. Também cresce a evidência que apoia o conceito de que o coco pode ser benéfico no tratamento da obesidade, dislipidemia, LDL elevado, resistência à insulina e hipertensão.

Ele também ajuda a elevar o nível de HDL (colesterol bom) e contribui com a melhora o metabolismo da glicose no organismo. Estudos sugerem que as mulheres pré-menopáusicas que consumiam mais óleo de coco (como determinado por registros de alimentos) tinham níveis mais elevados de colesterol HDL (colesterol bom) sem um aumento no colesterol LDL, do que as mulheres que consumiam menos óleo de coco.

## Sobre o óleo de coco ser ferramenta para a perda de peso

È preciso compreender que o óleo de coco contém ácidos graxos de curta e de média cadeia, que são mais difíceis para o nosso corpo converter em gordura armazenada. Por isso, possui propriedades que auxiliam na manutenção do organismo e controle de peso. Agora, como costumo dizer sempre: sozinho, o óleo de coco ou qualquer outro alimento, não faz verão. **Vamos entender:** é equivocado classificar o óleo de coco como um meio milagroso de se emagrecer ou condicionar seu uso ao único propósito de emagrecimento. Isto é um equívoco. Já disse no meu primeiro livro **Pilares para Uma Vida Saudável #Escolhi Ser Feliz (Ed. Pandorga - 2017)** e repito: NÃO existe método mágico para emagrecer. Se o propósito pelo qual você faz uso deste alimento em sua cozinha é exclusivamente este, é melhor rever sua conduta, conversar com seu nutricionista.

Mesmo com suas propriedades benéficas comprovadas, há uma comoção de se notificar sobre este ou aquele suposto dano do uso do óleo de coco. Ele tem sido colocado na berlinda. Saiba que a ciência evolui. Verdades tidas como absolutas hoje, são revistas e, amanhã, podem ser diferentes daquilo que conhecemos ontem. Outrora quem ocupou esta posição por anos foi gordura saturada já absolvida do banco dos réus.

**Será que um dia** veremos esta mesma dedicação de um grupo em esclarecer a população quanto aos potenciais riscos do consumo constante e progressivo de ingredientes contidos em produtos industrializados? Dos malefícios de produtos como refrigerantes, açúcar branco refinado? Isso sem falar de óleos como de girassol, de soja ou o canola. Estes produtos (que são – pasmem – indicados por especialistas), que merecem alertas constantes e um forte trabalho de conscientização quanto aos seus danos ao organismo. Vale reflexão.

## • REFERÊNCIAS •

DEBMANDAL, M.; MANDAL, S. Coconut (Cocos nucifera L.: Arecaceae): in health promotion and disease prevention. Asian Pac J Trop Med 4(3):241-7, 2011

ESTRUCH, R. et al. Primary Prevention of Cardiovascular Disease with a Mediterranean Diet. The New England Journal of Medicine, 2013.

ESTRUCH, R. et al. Effects of a Mediterranean-Style Diet on Cardiovascular Risk Factors. Annals of Internal Medicine, 2006.

FERANIL, AB.; DUAZO, PL.; KUZAWA, CW.; ADAIR, LS. Coconut oil predicts a beneficial lipid profile in pre-menopausal women in the Philippines. Asia Pacific jornal of clinical nutrition. 2011;20(2):190-195.

LOCKYER, S.; STANNER, S. Coconut oil–a nutty idea?. Nutrition Bulletin, 41(1), 42- 54, 2016.

MALHOTRA, A. Saturated fat is not the major issue. BMJ 2013; 347 : f 6340. Disponível em: https://www.bmj.com/content/347/bmj.f6340. Acesso em: 15 de maio de 2018.

MARINA, AM.; MAN, YB.; NAZIMAH, SA.; AMIN, I. Antioxidant capacity and phenolic acids of virgin coconut oil, Int J Food SciNutr, 2009; 60 Suppl 2:114-23.

MOLL, J. Monounsaturated and Polyunsaturated Fats Differences. Very Well. Disponível em: https://www.verywellhealth.com/monounsaturated-and-polyunsaturated-fats-differences-697740. Acesso em: 15 de maio de 2018.

MULLER, H.; LINDMAN, AS.; BLOMFELDT, A.; SELJEFLOT, I.; PEDERSEN, JI. (2003). A diet rich in coconut oil reduces diurnal postprandial variations in circulating tissue plasminogen activator antigen and fasting lipoprotein (a) compared with a diet rich in unsaturated fat in women. J Nutr 133, 3422–3427. PubMed.

SALAS-SALVADO, J. et al. Reduction in the Incidence of Type 2 Diabetes With the Mediterranean Diet: Results of the PREDIMED-Reus nutrition intervention randomized trial. Diabetes Care, 2011.

W. M. A. D. B. Fernando et al. The role of dietary coconut for the prevention and treatment of Alzheimer's disease: Potential mechanisms of action. Epub 2015 22 de maio. British Journal of Nutrition, 114(1), 1-14. Disponível em: https://www.cambridge.org/core/journals/british-journal-of-nutrition/article/role-of-dietary--coconut-for--the-prevention-and-treatment-of-alzheimers-disease-potential--mechanisms--of-action/1C610ECEA7E7D7CD3E7323A0477E6731. Acesso em 15 de maio de 2018.

WHITE, MD. et al. Enhanced postprandial energy expenditure with medium-chain fatty acid feeding is attenuated after 14 d in premenopausal women. American Journal of Clinical Nutrition, 1999.

CAPÍTULO 2

# FARINHAS

**O uso da farinha na culinária é extenso.** Está presente tanto em receitas salgadas quanto doces.

O que torna a farinha de trigo inimiga da saúde é o processo de refinamento, que separa do trigo a casca e o gérmen, mantendo apenas o endosperma do grão que depois é moído. Com isso retira-se grande parte dos nutrientes e as fibras que ajudam na formação do bolo fecal.

Com a necessidade urgente de acelerar o progresso genético para enfrentar os desafios das mudanças climáticas e da agricultura sustentável, o trigo sofreu modificações em sua forma original. Este alimento foi uma das primeiras culturas agrícolas a serem domesticadas há mais de 10 mil anos no Oriente Médio.

A indústria acrescenta glúten à farinha de trigo refinada. Ao ingerirmos glúten em excesso, podemos levar o intestino a um estado inflamatório, fragilizando-o e causando distúrbios. Isso ocasiona numa sensibilidade ao glúten não celíaca. Alguns efeitos nocivos são fáceis de perceber, como ganho de peso, desconforto ou inchaço abdominal danos que, a princípio, podem nem parecer tão graves assim.

Quem me acompanha sabe dos malefícios que o glúten pode trazer para a saúde. Devido ao seu potencial inflamatório do intestino, pode ocasionar danos ao organismo. Ele pode ativar os gatilhos de genes de doenças autoimunes, que antes estavam inativos no organismo.

Portanto, é hora de dar vez às farinhas que poderão agregar saúde ao organismo. Em lugar da farinha de trigo refinado (que chamo de açúcar salgado), vocês podem optar por introduzir no cardápio a farinha de amêndoa, de quinoa, linhaça, chia, banana verde, maracujá, arroz, de castanhas e coco, por exemplo.

Agora, embora sejam alternativas mais qualificadas que a farinha de trigo, é preciso ficar claro que nem por isso devem ser a primeira escolha da família dos carboidratos e devem ser consumidos moderadamente. É como tenho ensinado a vocês. Em tudo se deve encontrar um equilíbrio e, com a alimentação, não é diferente!

Além de consumir com sabedoria estes tipos de farinha, o grande segredo é sempre recorrer aos produtos que tenham como base de origem a natureza, que não tenham sofrido um processo que possa ter corrompido a sua essência. E quando digo isso a vocês, não se trata apenas de perder este ou aquele nutriente o que é algo já notório de atenção mas de poder até se tornar tóxico ao organismo.

**CONVIDO VOCÊS**
a explorar este
universo das
*farinhas*
**COMIGO!**

## • CONHEÇA OPÇÕES SAUDÁVEIS PARA SUAS RECEITAS •

C D **Farinha de amêndoa:** A *American Heart Association* reconhece que a farinha de amêndoa é alimento saudável para o coração. Como é rica em gorduras monoinsaturadas, auxilia na redução do colesterol, da pressão arterial, e do risco de coágulos sanguíneos. Também contém proteínas, e 35% da recomendação nutricional diária de vitamina E, um agente antirradical livre muito importante. Para evitar sua oxidação, é bom manter congelada ou refrigerada.

D C **Farinha de quinoa:** a adição de quinoa em refeições e lanches pode auxiliar a elevar o teor de proteínas, ferro, cálcio e fibras. Ela provê aminoácidos essenciais, incluindo o triptofano, que está por trás da sensação de bem-estar e é rica em Ômegas 3 e 6.

D M C **Farinha de linhaça:** o consumo de linhaça pode diminuir o risco do câncer. Vários outros estudos também mostram que a linhaça é excelente para auxiliar na perda de peso, na redução do colesterol, e dos sintomas da menopausa. Pela presença de Ômegas 3 e 6, e por ser rica em fibras, é amplamente recomendável. O trânsito intestinal também é melhorado com o consumo da linhaça. Suas fibras incentivam a renovação e o trabalho da microbiota, o que ajuda na absorção eficiente dos nutrientes. A linhaça pode ser consumida em pratos quentes e frios, com saladas de frutas, como complemento de legumes cozidos ou da forma que a criatividade mandar.

I C D E **Farinha de chia:** possui alto teor de ácidos graxos poli-insaturados essenciais, gorduras benéficas ao organismo, principalmente o Ômega 3 (ácido graxo alfa-linolênico). Além disso, contém baixo índice glicêmico e é fonte natural de antioxidantes, como o ácido cafeico e ácido clorogênico. Suas sementes são boa fonte proteica, graças à presença de grande quantidade de aminoácidos essenciais – aqueles que não são produzidos pelo nosso organismo como a isoleucina, leucina, lisina, treonina e triptofano, por exemplo. A chia ainda é rica em cálcio, nutriente essencial para o organismo, sobretudo na saúde óssea.

O sistema cardiovascular também é beneficiado, por conta do Ômega 3, que nos protege contra AVCs, hipertensão e infarto. A fama que a chia tem ao ajudar na perda de peso se dá porque, em contato com os sucos gástricos, transforma-se em gel, preenchendo a superfície estomacal, fazendo com que ocorra mais rapidamente a sensação de saciedade.

**A semente de chia não deve ser consumida em seu estado natural. Antes deve ficar de molho em água, para que seja hidratada previamente para que não ocorram obstruções no trato gastrointestinal.**

D C I E **Farinha de banana verde:** a banana verde tem propriedades que contribuem para evitar o diabetes e reduzir as taxas de colesterol e riscos cardiovasculares. Tem elevado teor em potássio que previne doenças coronárias, magnésio que reduz sintomas de TPM, fibras que são imprescindíveis na digestão, além de vitamina B6 que é fundamental na formação da hemoglobina. Auxilia também na prevenção de doenças inflamatórias intestinais, na manutenção da mucosa intestinal e contribuem com o aumento do bolo fecal, reduzindo o risco de câncer de cólon.

C E N D **Farinha de maracujá:** Rica em ferro, cálcio e fósforo. Possui uma fibra solúvel chamada pectina, que prolonga a sensação de saciedade e ajuda no controle dos níveis de açúcar no sangue. Ajuda na taxa de HDL (colesterol bom), reduz as concentrações de glicose e LDL (colesterol ruim), ajuda a baixar a pressão sanguínea e o peso corporal, inclusive em diabéticos. É fonte de vitaminas e minerais, inclusive a niacina, que age na produção de hormônios, melhora os sintomas da ansiedade e protege as paredes do estômago.

D C **Farinha de arroz:** É uma boa opção saudável para quem quer tirar o glúten da alimentação, pois não contém essa substância. Além disso, também previne doenças do aparelho digestivo e do coração, e por ter baixo índice glicêmico apresenta controle do diabetes.

C D **Farinha de coco:** ingerir farinha de coco ajuda a reduzir os riscos de diabetes, de doenças cardíacas, de câncer e auxilia a regular o colesterol. Não contém glúten. Produzida a partir da polpa da fruta. A soma de fibras com gorduras não acumulam no tecido adiposo, é rapidamente metabolizado pelo fígado. É rica em proteína, oferecendo mais saciedade. Aliada ao consumo de uma boa quantidade de água, auxilia no trato intestinal e na de absorção de outros nutrientes e minerais.

**#Desafio30DiasDrBarakat**

**FARINHAS**

| INCLUA | EXCLUA |
|---|---|
| Coco | Farinha de Trigo Refinada |
| Quinoa | |
| Amêndoa | |
| Linhaça | |
| Chia | |
| Maracujá | |
| Castanhas | |
| Arroz | |
| Banana Verde | |

# • REFERÊNCIAS •

ADLERCREUTZ, H. *Lignans and human health.* Crit Rev Clin Lab Sci. 2007;44 (5-6):483–525.

ALHASSANE, T.; XU, XM. *Flaxseed lignans: source, biosynthesis, metabolism, antioxidante activity, bioactive components and health benefits.* Compr Rev Food Sci Food Saf. 2010;9:261–269.

AYERZA, R.; COATES, W. Chia: nova fonte de ácidos gordos omega-3, antioxidantes naturais e fibra dietética. Centro Sudoeste de Pesquisa e Comercialização de Produtos Naturais. Tucson: escritório de estudos de terras áridas; 2001.

CAHILL, J. *Ethnobotany de chia, Salvia hispanica L.* (Lamiaceae) Econ Bot. 2003; 57 : 604-618. Doi: 10.1663 / 0013-0001 (2003) 057 [0604: EOCSHL] 2.0.CO; 2.

COOPER, R. *Re-discovering ancient wheat varieties as functional foods.* Journal of Traditional and Complementary Medicine. 2015;5(3):138-143. Disponível em: <https://www.ncbi.nlm.nih.gov/pmc/articles/PMC4488568/>. Acesso em: 15 de maio de 2018.

ELLI, L.; RONCORONI, L.; BARDELLA, MT. *Non-Celiac Glúten Sensitivity: Time for Sifting the Grain.* Jornal Mundial de Gastroenterologia: WJG 21.27 (2015): 8221-8226. PMC . Rede. Acesso em: 15 de maio de 2018.

EL-SALHY, M. et al. *A Relação entre Doença Celíaca, Sensibilidade Glúten Nonceliac e Síndrome do Cólon Irritável.* Nutrition Journal 14 (2015): 92. PMC . Rede. Acesso em: 15 de maio de 2018.

FERNANDEZ, I.; VIDUEIROS, SM.; AYERZA, R.; COATES, W.; PALLARO, A. (2008). *Impact of chia (Salvia hispanica L.) on the immune system: preliminary study. Proceedings of the Nutrition Society,* 67 (OCE), E12 doi:10.1017/S0029665108006216.

GOYAL, A. et al. *Flax and Flaxseed Oil: An Ancient Medicine & Modern Functional Food.* Journal of Food Science and Technology 51.9 (2014): 1633–1653. PMC. Acesso em: 15 de maio de 2018.

IVANOVA, S.; RASHEVSKAYA, T.; MAKHONINA, M. *Flaxseed additive application in dairy products production.* Procedia Food Sci. 2011;1:275–280.

MOHD, A.; NORLAILY et al. *The Promising Future of Chia, Salvia Hispanica L.* Journal of Biomedicine and Biotechnology. 2012 (2012): 171956. PMC. Acesso em: 15 de maio de 2018.

SINGH, KK.; MRIDULA, D.; REHAL, J.; BARNWAL, P. *Flaxseed- a potential source of food, feed and fiber.* Crit Rev Food Sci Nutr. 2011;51:210–222.

ULLAH, R. et al. *Nutritional and Therapeutic Perspectives of Chia (Salvia Hispanica L.): A Review.* Journal of Food Science and Technology 53.4 (2016): 1750–1758. PMC. Acesso em: 15 de maio de 2018.

WESTCOTT, ND.; MUIR, AD. (1996). *Variation in the concentration of the flax seed lignan concentration with variety, location and year.* In: Proceedings of the 56th Flax Institute of the United States Conference, Flax Institute of the United States, Fargo, ND, pp. 77–80.

CAPÍTULO 3

# TEMPEROS E ERVAS

**Você já pensou na influência que** temperos e ervas que você usa exercem sobre sua saúde? Os famosos temperos prontos, além de não acrescentarem em nada em termos nutricionais, ainda contém uma enorme quantidade de substâncias químicas nocivas como glutamato monossódico, aromatizantes, corantes. Mais que isso, o sódio em excesso pode causar retenção de líquidos, comprometendo a eliminação de toxinas, gerando disfunção renal, alteração na absorção de nutrientes, dores de cabeça e elevando a pressão arterial.

Para conseguir ter produtos frescos cultivamos em casa uma horta de temperos e ervas. A diferença principal de ervas e temperos caseiros está na qualidade do produto final. Você tem a opção de plantar estes alimentos de forma orgânica, sem agrotóxicos, sem adubos químicos e sem seus subprodutos, como nitratos e metais pesados. Por isso são muito mais saudáveis do que aqueles provenientes da indústria alimentícia.

## • QUE TAL TER UMA HORTA SÓ SUA? •

**Plantar ou cultivar** uma pequena horta em casa também traz bem--estar e pode ser uma boa arma contra o estresse. Em áreas urbanas o cultivo da terra pode fazer muito bem à saúde física e mental, por promover o contato com a natureza

**Além disso, se você tem crianças em casa, está aí um belo estímulo para incorporar alimentação saudável à vida delas. Chamar as crianças para mexer na terra, plantar, regar e cuidar de hortas promoverá uma ligação orgânica entre elas e aquele determinado alimento, o que irá facilitar na hora de inserir no cardápio esta comida.**

Alguns podem questionar se é possível fazer o plantio em pequenas áreas, em apartamentos, em varandas, e digo que eu mesmo tenho horta e utilizamos dela para nossa culinária. Hoje há ainda a possibilidade de fazer estas hortas verticais, na parede. Para conservar bem, guarde em potes bem fechados e em lugares secos e frescos, inclusive se tiver comprado em pacotinhos. Se tiver comprado as ervas frescas, coloque na parte baixa da geladeira em saco plástico para que durem mais. Por isso é vantajoso o consumo de produtos frescos, de casa, porque basta extrair do cultivo e levar ao prato. Caso tenhamos comprado do produtor, conservamos em geladeira.

**O uso desses temperos naturais** pode ajudar a reduzir brutalmente o consumo do sal, o que é muito benéfico para o nosso organismo. O famoso sal de cozinha não nutre, apenas salga. Porém, sem passar pelo processo de refinamento, merece muito mais prestígio e valor, pois é repleto de nutrientes.

Como alternativa a esse sal refinado existe o sal marinho, sal grosso (que é mais barato e não passa por processos químicos) e sal rosa, que podem ser incluídos sem erro no cardápio.

Vale cultivar uma horta em casa! Além de natural, ainda tem os benefícios do contato com a terra! Mesmo pra quem mora em apartamento, experimentem! A saúde do organismo (corpo, mente e espírito) agradece!

**E então?! Quem disse que para a alimentação ser saudável a comida tem que ser insossa, sem graça?** É possível, sim, sabor e qualidade nutricional caminharem juntos quando o assunto é temperar a comida!

Compreendo que todo o alimento contém propriedades que podem fazer bem ao organismo. Por isso cuido para manter longe os industrializados. Temos que observar o quanto o que comemos pode ser fator crítico para manter o nosso organismo saudável e como nossas escolhas fazem a diferença no final desta conta **SAÚDE x DOENÇA**. E os temperos que usamos não estão fora disso.

Que tal começar a experimentar novas sensações e modificar o paladar por meio de substituições na hora de preparar as refeições? Afinal, uma boa pitada de tempero alegra a vida!

## MAS, QUAL A QUESTÃO COM O SAL REFINADO? O QUE O TORNA MALÉFICO?

Assim como o açúcar, há quem defenda que se não houver excesso no uso do sal, tudo bem. Preciso dizer que **NÃO**. Em qualquer quantidade é nocivo.

Esse tipo de sal que a indústria alimentícia nos fez acreditar por muito tempo o famoso sal de cozinha/industrial não nutre, ele apenas salga. Ele é enriquecido com aditivos químicos, e para evitar a liquefação e a formação de pedras, recebe oxido de cálcio (cal de parede) que favorece também o aparecimento de pedras nos rins e na vesícula biliar devido à sua origem não natural. Nada de bom, certo?

Para explicar melhor, quando o sal refinado entra no corpo, ele é absorvido pelo intestino e vai direto para o sangue. Conforme se dá seu consumo, cai na mesma proporção nos vasos. Como a água do corpo é sugada pelo cloreto, o organismo, na tentativa de manter o equilíbrio e normalizar a falta de água, eleva a pressão arterial para aumentar o fluxo de sangue circulando, por isso o perigo. Acontece que os vasos estão acostumados com um determinado volume sanguíneo circulando dentro deles. Quando o sistema sai da normalidade e passa a ser atravessado por muito sangue, os vasos acabam se contraindo para tentar diminuir o fluxo e restabelecer o estado habitual. A construção dos vasos de fato diminui a quantidade de sangue circulando pelo organismo, mas a pressão de bombeamento do coração continua aumentada, consequentemente, o órgão não é irrigado adequadamente justamente quando está com seu trabalho intensificado, o que faz com que seu tecido fique mais espesso. O resultado pode ser hipertensão, problemas renais, arritmia e infarto. Portanto pare de consumir esse veneno!

## • OPÇÕES SAUDÁVEIS PARA SUAS RECEITAS •

E **Sal marinho:** Este sal é obtido pela evaporação da água do mar e não passa por processo de refinamento, o que o torna mais puro. Por conta disso, ele mantém os microminerais essenciais, como o iodo. Seu processo é bem natural: ele é seco ao sol e, por não passar por refinamento, contém quantidades microscópicas de vida marinha (que não fazem mal à saúde).

C P I D **Sal rosa:** livre de toxinas e poluentes, esse alimento é considerado o sal mais puro do planeta e sua cor rosa deve-se à alta concentração de minerais em sua composição: ele carrega mais de 80 tipos de minerais. O alto poder desintoxicante do sal rosa é benéfico para ajudar a eliminar toxinas do corpo, purificar o sangue e regular a produção de óleo pela pele. Além disso, a alta concentração de magnésio, por exemplo, é benéfica para prevenir cãibras e fortalecer os músculos e o sistema imunológico.

Como tudo na vida, é importante consumir com moderação. O consumo correto desse sal ajuda também a fortalecer a saúde do sistema digestivo, prevenindo gases e prisão de ventre, além de agir como anti histamínico natural, melhorar o humor e regular a pressão arterial.

I **Curry:** é uma mistura de temperos: pimentas, gengibre, canela, cominho, cravo, cúrcuma e outros. Muito utilizada na Índia, dá um sabor e aparência excelente ao arroz, risoto, massas em geral, na proteína texturizada de soja, no tofu e farofa. Vale ressaltar seu poder antioxidante valioso, que se deve à especiaria cúrcuma, que protege contra doenças como câncer e outras degenerativas, e ainda fortalece a imunidade.

M P E D **Gengibre:** é um alimento termogênico. Pesquisas apontam que seu consumo regular pode acelerar o metabolismo em até 20%. Ele melhora a digestão e o enjoo das grávidas, reduz o colesterol, tem efeitos analgésicos, reduz a cólica menstrual, efeito anti-inflamatório e antioxidante.

D C **Manjericão:** essa é uma das ervas mais fáceis de reconhecer, graças ao seu aroma marcante. O manjericão integra a família da hortelã. Tem propriedades antioxidantes e antibacterianas poderosíssima o que ajuda na saúde cardiovascular. Possui vitamina A, C e K2. Manjericão é sempre uma boa pedida para cozinhar!

M C **Pimenta Vermelha:** tem em seu fruto, a capsaicina, substância de ação termogênica comprovada e é considerada um dos melhores auxiliares no controle de peso. Também contribui para a retirada de gorduras das artérias, e é estimulante.

**Cuidado:** ela é contraindicada para quem sofre de gastrite ou hemorroida. Para pessoas mais sensíveis ao sabor forte, é recomendável evitar as sementes que são mais ardidas.

C I R D **Alho:** embora o alho seja uma raiz, o incluo neste capítulo de ervas e temperos por ser este alimento muito utilizado para dar sabor aos mais diversos pratos da nossa culinária. O consumo de alho pode ajudar a reduzir o risco de doenças cardiovasculares, tem efeitos antitumorais e antimicrobianos e mostra benefícios na alta concentração de glicose no sangue. A medicina antiga chinesa e indiana recomendava o alho para auxiliar a respiração e a digestão.

Dica **Veja a receita de sal temperado na página 143**

## #Desafio30DiasDrBarakat

| INCLUA | EXCLUA |
|---|---|
| Sal Marinho | Sal branco refinado |
| Sal Rosa | Temperos prontos em cubos |
| Temperos e Ervas (caseiros e naturais) | |

# • REFERÊNCIAS •

AZAM et al. *Ginger components as new leads for the design and development of novel multi-targeted anti-Alzheimer's drugs: a computational investigation.* Disponível em: <https://www.ncbi.nlm.nih.gov/pmc/articles/PMC4211852/>. Acesso em: 15 de maio de 2018.

BAYAN, L.; KOULIVA, PH.; GORJI A. Garlic: a review of potential therapeutic effects. Avicenna Journal of Phytomedicine. 2014;4(1):1-14.

CAPÍTU

# LEGUMES E VERDURAS

**Desde criança somos ensinados que** comer legumes e verduras faz bem para a saúde. Mas, de fato, vocês conhecem quais são os benefícios?

Antes de elencar as qualidades do consumo desses alimentos, vamos falar sobre uma categoria de pessoas que na infância não aceitavam legumes e verduras nas refeições e, em lugar, comiam ultraprocessados e outros produtos frutos da indústria, por terem um forte apelo de que ali estavam contidos os nutrientes essenciais para o desenvolvimento. Quem tem entre 30-50 anos de idade deve se recordar das campanhas publicitárias que exaltavam a qualidade nutricional de iogurtes, de pães, bisnaguinhas, sem falar dos congelados e instantâneos. Assisti a uma legião de crianças que eram adeptas do super macarrão instantâneo. Em vez de uma refeição rica em nutrientes, davam lugar a essa invenção da indústria cheia de sódio, conservantes, farinha refinada, de gordura trans, para citar apenas alguns elementos nocivos ao organismo, contidos nesse produto (porque não dá para chamá-lo de alimento nem de longe).

Uma legião de *picky eaters*, esse é o resultado desses hábitos, com anuência dos adultos – muitas vezes seduzidos pelas convincentes propagandas que alegavam que os produtos apresentados continham, além dos nutrientes, o mesmo amor e carinho dos pais ao preparem refeição aos filhos.

Mas, você já ouviu falar nessa expressão? *Picky eaters* são os comedores seletivos. Hoje este é considerado um transtorno alimentar por se tratar de uma condição em que a pessoa restringe o paladar a determinados tipos de alimentos. E vai além de um não gostar de comer, há aqueles que desenvolvem uma aversão, um temor mesmo a algum tipo de comida. Ou condicionar a ingestão de alimento a um som e/ou textura determinada como o *creck* de se morder uma cenoura ou um biscoito. Estas restrições podem ocasionar desde problemas no organismo até mesmo de ordem psicossocial, levando ao isolamento.

Anteriormente era comum condicionar um *picky eater* à figura de um adulto com paladar infantil. Ou seja, não ingere legumes, verduras e outros tipos de alimentos que geralmente as crianças torcem o nariz. Estes *picky eaters* extremos geralmente iniciaram o comportamento devido aos hábitos alimentares da infância.

**Compreenderam quando digo que a criança deve ser exposta a um cardápio nutritivo, diversificado entre sabores e texturas?** Nossos hábitos alimentares são fundamentados neste período, ainda pequenos, quando estamos prontos a desbravar este novo universo de sabores. Por isso os adultos devem ser o exemplo e conduzir as crianças nesta jornada.

Saibam que a maior causa de um paladar infantil são as refeições carregadas de açúcar e farináceos, que excitam o cérebro da criança especialmente até os dois anos de idade. Ao ficar excitado, o cérebro pede isso continuamente, ou seja, se os pais incluírem uma verdura do nada, ele não irá aceitá-la, pois este alimento não causa a mesma sensação que o doce açúcar.

**Voltemos à pergunta:** por que devo comer legumes e verduras? Bom, há inúmeras razões. Vamos conhecer algumas delas.

Legumes e verduras são fontes de nutrientes essenciais para o bom funcionamento do organismo. São ricos em vitaminas como A, C, K,

E, do complexo B. Possuem os chamados macrominerais, como cálcio, magnésio e potássio.

**Atenção a esse parêntese: se você aprendeu um dia que o leite de vaca é excelente fonte de cálcio, compreenda que rico em cálcio são as verduras verde escuras.**

Possuem ainda substâncias chamadas carotenoides, antioxidantes que ajudam a absorver compostos prejudiciais produzidos pelo estresse, especialmente quando o corpo está lutando contra a doença. São importantes para nossos sistemas imunológico e reprodutivo e estão presentes em vegetais como a cenoura, por exemplo.

Esses elementos ainda são fortes aliados no fortalecimento e bom funcionamento do sistema imunológico, da visão, do crescimento celular, na manutenção de órgãos como coração e rins, na saúde da pele e do coração, além de manter os ossos fortalecidos. Auxiliam também na absorção de ferro e na coagulação sanguínea. Além disso, ainda possuem baixa ou nenhuma caloria.

## • ORGÂNICOS: CONHECENDO O PODER • DESSA FONTE NUTRICIONAL

Como falar de alimentação saudável e com qualidade sem mencionar os orgânicos?

**Reservei esse assunto para esse capítulo, mas saiba que devemos priorizar a aquisição não apenas de verduras e legumes, mas das demais comidas, como frutas, carnes e frangos (falaremos no próximo capítulo), entre outros.**

Com frequência falo sobre boas fontes de nutrientes e quais alimentos devemos escolher para ter uma boa alimentação, mas é bom destacar que, infelizmente, temos que ir atrás de bons produtos, pois até os mais saudáveis podem não ser tão saudáveis assim. **O motivo? AGROTÓXICOS.** Segundo dados divulgados pela Agência Nacional de Vigilância Sanitária (Anvisa), os agrotóxicos encontrados nos alimentos inorgânicos podem causar a deterioração dos recursos naturais, como solo, água e flora, além de poder causar intoxicação alimentar. Isso ocorre, principalmente, quando essas substâncias tóxicas são inseridas em excesso nos alimentos, para que o produtor não perca a plantação inteira por fatores externos.

O alimento orgânico não é somente "sem agrotóxicos", como se veicula normalmente. Além de ser isento de insumos artificiais, como os adubos químicos e os agrotóxicos (e isso resulta na isenção de uma infinidade de subprodutos como nitratos, metais pesados etc.), ele também deve ser isento de drogas veterinárias, hormônios, antibióticos e de organismos geneticamente modificados. Durante o processamento dos alimentos, é proibido o uso das radiações ionizantes – que produzem substâncias cancerígenas, como o benzeno e formaldeído –, e aditivos químicos sintéticos, como corantes, aromatizantes, emulsificantes, entre outros. Um alimento orgânico não é menor, ou de aspecto inferior ao convencional. Muitas vezes, percebemos que eles têm até mais cor, porque este tipo de alimento provém de uma fazenda orgânica em sua fase inicial de produção, que não utiliza tóxicos para mantê-los "intactos". Muitos de vocês vão falar que é mais caro do que aqueles que encontramos no mercado, mas os benefícios são inúmeros. Quando comecei a falar sobre os processos que alteram a qualidade do alimento, citei que, muitas vezes, o que fazemos e o que compramos pode vir a trazer os tais "disruptores endócrinos" para o nosso corpo, que agem por mecanismos fisiológicos pelos quais substituem os hormônios do nosso corpo, bloqueando sua ação natural, ou ainda, aumentando ou diminuindo a quantidade original de hormônios.

De acordo com um estudo de 10 anos, realizado pela Universidade da Califórnia, que pesquisou os tomates orgânicos produzidos em um ambiente livre do uso de fertilizantes químicos, ricos em nitrogênio, verificou-se que diferentemente dos tomates cultivados com uso de agrotóxicos, os orgânicos apresentaram excessiva quantidade de antioxidantes, tais como quercetina (79% superior). Como todos nós sabemos, os antioxidantes são bons para a saúde e ajudam na redução de doenças cardíacas e nas chances de desenvolver câncer.

Pesquisas recentes, como as da Universidade de Newcastle, publicado no *British Journal of Nutrition* (2015), sugerem que a escolha de alimentos orgânicos pode levar ao aumento da ingestão de antioxidantes nutricionalmente desejáveis e reduzem a exposição a metais pesados tóxicos.

> O ***British Journal of Nutrition*** também mostra níveis significativamente mais baixos de metais pesados tóxicos em cultivos orgânicos. Cádmio, que é um dos três únicos contaminantes metálicos, juntamente com chumbo e mercúrio, para a qual a Comissão Europeia estabeleceu níveis máximos tolerados de contaminação em alimentos, foi encontrado para ser quase 50% menor em cultivos orgânicos do que os convencionalmente **crescidos**.

Como o alimento orgânico é cultivado com uso de fertilizantes naturais, como o estrume, ou seja, não é preparado com fertilizantes químicos, sendo cultivado sem vestígios de produtos químicos pesados, ele é isento de afetar o corpo humano negativamente. Uma sopa feita com vegetais orgânicos, por exemplo, contém seis vezes mais ácido salicílico (componente produzido naturalmente pelas plantas como um componente protetor contra estresse e doenças) do que as sopas de vegetais não-orgânicos.

**LIVRE-SE DOS AGROTÓXICOS** – Para quem quer retirar os agrotóxicos dos alimentos, existe uma solução que todos podemos fazer em casa. A mistura de tintura de iodo a 2% com a água ajuda a eliminar os agrotóxicos. O ideal é que, para cada litro de água, sejam misturados 5 ml de tintura de iodo a 2%. Deixe os alimentos nesta solução por uma hora, cobertos por um pano, depois lave bem em água corrente e jogue fora imediatamente a água contaminada! A tintura de iodo pode ser comprada em farmácias. Segundo a legislação, agrotóxicos são produtos e agentes de processos físicos, químicos ou biológicos, utilizados nos setores de produção, armazenamento e beneficiamento de produtos agrícolas, pastagens, proteção de florestas, nativas ou plantadas, e de outros ecossistemas e de ambientes urbanos, hídricos e industriais. É importante saber também que, na hora de comprar, nós podemos evitar alimentos fora do tamanho padrão. Essa é uma indicação básica de que foi utilizado agrotóxico ou fertilizante na produção.

**Não lave os alimentos assim que chegar das compras. Deixe-os refrigerados por, no mínimo, 2 horas antes de lavar e higienizar. Quando o alimento é higienizado em temperatura ambiente, o agrotóxico que fica na casca penetra com mais facilidade. Ou seja, a pergunta que fica é justamente que, considerando que "você é o que você come e absorve", e "o alimento deve ser o nosso medicamento", então a escolha é sua! Vai continuar a comer produtos cheios de toxinas, que podem trazer doenças para o nosso corpo, ou irá atrás de produtos frescos, que mantêm seus valores nutricionais e o sabor real? Decida-se!**

# CONHEÇA OS BENEFÍCIOS DE VERDURAS E LEGUMES

N C D **Abobrinha:** A abobrinha é um ótimo exemplo de alimento *low carb* e pode ser utilizada de diversas formas. Sua ingesta pode ser feita crua, cozida e até mesmo grelhada. Este legume é uma ótima fonte de fibras que auxiliam na digestão e, consequentemente na perda de peso. Contém em sua composição vitamina A, B1, B2, magnésio, folato, cobre e fósforo. Em suas propriedades, as vitaminas do complexo B são importantes para o nosso sistema cognitivo, memória, concentração e raciocínio. Mulheres grávidas podem aproveitar a concentração de ácido fólico que ajuda no desenvolvimento fetal. Vale ressaltar que o manganês e vitamina C são bons aliados da saúde vascular.

I J N C R E **Abóbora:** a abóbora é um alimento versátil e que pode ser preparado de diversas formas. Ela integra a lista de alimentos que podem ser incluídos no estilo *low carb*. Quando bem indicada e em boas quantidades pode ser benéfica à saúde. Elas são ricas em vitamina A, B, C folato, vitamina E, fósforo e magnésio. Existem alguns tipos de abóbora específicos para preparos doces e outras para preparos salgados. No Brasil é comum encontrar a Cabotiá em supermercados e feiras livres para pratos que acompanham carne, legumes e purês. Podemos citar aqui alguns dos benefícios da ingesta de abóbora como melhora da imunidade em função da alta concentração de vitamina C, aumento de fertilidade, melhora da saúde óssea pela disponibilidade de minerais, prevenção de câncer e saúde ocular.

J N E **Aspargo:** o aspargo é um alimento bastante nutritivo e rico em vitaminas, minerais e proteínas importantes para o organismo. Presente nos estilos paleo e *low carb* é um ótimo acompanhamento para carnes, saladas e pratos assados. A leguminosa é rica em vitaminas B1, B2, B3, B5 e B6, Vitaminas C, E e K, cálcio, ferro, fósforo, magnésio, zinco, selênio e potássio. Entre os benefícios deste alimento estão a saúde óssea, melhora de fertilidade, amenização de sintomas pré-menstruais e no auxílio de tratamento de doenças como câncer, diabetes, catarata, reumatismo, depressão e doenças neurodegenerativas.

I D J R **Batata doce:** este é um dos tubérculos mais comuns para quem pratica exercícios físicos e, para os mais antigos, uma lembrança da infância. O que poucos sabem é que a batata doce é uma ótima aliada da saúde e, por possuir um baixo índice glicêmico se adequa bem a estilos alimentares com baixa ingesta de carboidratos. Ela é um ótimo "carbo bom". Rica em fibras, magnésio e minerais, pode ser uma ótima aliada para a saúde digestiva e regulação do intestino. O betacaroteno e vitaminas do complexo B e C possuem propriedades anti-inflamatórias e são ótimas para o sistema imunológico. A soma destas vitaminas pode auxiliar também em casos de cânceres, úlceras estomacais, dores provenientes da artrite e no controle/manutenção do diabetes.

D C E P R **Berinjela:** de baixa caloria, a berinjela é uma fonte de diversos nutrientes e está muito presente no estilo mediterrâneo. Por ser rica em fibras, potássio, Vitaminas C e B6, auxilia na saúde do coração. Além disso, as fibras também ajudam no trânsito intestinal e proporcionam maior saciedade, colaborando com a manutenção do peso, enquanto as antocianinas – um tipo de flavonoides presentes na berinjela –, possuem ação antioxidante. E como se não bastassem todos esses benefícios, a berinjela ainda atua no controle do colesterol, melhorando o fluxo sanguíneo.

C P I D R **Brócolis:** o brócolis possui uma grande variedade de benefícios nutricionais e medicinais. Por melhorar o sistema imunológico, acaba prevenindo reações alérgicas, além de diminuir o colesterol ruim, auxiliar no tratamento de diabetes e anemia, *detoxificar* o corpo, proteger a pele e melhorar a visão e o sistema digestivo. O vegetal contém vitamina A, Vitamina B6, vitamina C, vitamina K, potássio, magnésio, triptofano, fósforo e diversos antioxidantes, como os flavonoides, contribuindo assim para a saúde geral do organismo e melhor qualidade de vida.

N P D I **Alface:** crespa, americana, lisa... São tantos os tipos de alface – assim como seus benefícios para a saúde! Por ser rica em fibras, essa hortaliça atua no combate da prisão de ventre e colabora com a sensação de saciedade. Nela ainda são encontradas as vitaminas A, B6, C, E e K, zinco, potássio, magnésio, cálcio e ferro. O consumo da alface contribui para diminuir os níveis de colesterol ruim e, segundo estudo, pode auxiliar a controlar o câncer, em especial o de mama e leucemia. Seus biocatalisadores ainda induzem o controle de inflamações e a lactucina, presente no talo da alface, e o fosfato em suas folhas contribuem para acalmar e combater a depressão, respectivamente.

N J I R D P **Couve-Flor:** da mesma família do brócolis, a couve-flor é um vegetal repleto de benefícios para a saúde. Além de reduzir o risco de câncer, problemas no coração e no cérebro, ela auxilia no alívio da indigestão e melhora o sistema imunológico, graças ao seu poder antioxidante. Possui vitaminas do complexo B, vitaminas C, E e K, cálcio, magnésio, potássio, fósforo e manganês. Suas fibras também auxiliam na digestão e promovem a eliminação de toxinas do corpo e a presença de sulforafano ajuda a proteger a pele contra os danos causados pela radiação ultravioleta.

J D P C N M **Couve:** há diversos tipos de couve, podendo ter folhas na cor roxa ou verde, em forma lisa ou encaracolada. Assim como é grande sua variedade, são também seus benefícios à saúde. Fonte de vitaminas A, B6, C, K, cálcio, manganês, cálcio, cobre, potássio e magnésio, contém pouca gordura, mas a que possui é de boa qualidade (ácido graxo ômega 3).

Rica em antioxidantes, como beta-caroteno, sulforano, flavonoides e polifenóis, auxilia no tratamento do diabetes, constipação, dores de cabeça, problemas de pele, doenças cardíacas, Mal de Alzheimer e obesidade.

C **Rúcula:** conhecida como uma das verduras mais ricas em nitratos. Esse vegetal contribui com a saúde cardiovascular.

# CRUDIVORISMO

## • JÁ OUVIRAM FALAR EM ALIMENTAÇÃO VIVA? •

Falar sobre verduras e legumes sem falar nesse estilo alimentar é fundamental.

Também conhecida como crudivorismo ou *raw food*, a dieta é baseada no consumo de alimentos crus, germinados ou hidratados, como verduras, frutas, raízes, oleaginosas e legumes crus e frescos. Nesta modalidade, não há necessidade de fogão para o preparo das refeições, pois o objetivo é que os alimentos sejam consumidos *in natura* ou aquecidos até, no máximo, 42°C. Esta é uma forma de interagirmos com o melhor que a natureza nos oferece.

Alimentos cozidos acima desta temperatura perdem as enzimas responsáveis pelo transporte dos nutrientes às células do organismo, proteínas e elementos antioxidantes e anti-inflamatórios. O brócolis, por exemplo, perde o cálcio quando cozido acima de 42°C. Já o nível de vitamina C em tomates diminui 10% se o legume for cozido por 10 minutos e 29% se cozidos durante meia hora a 88°C. Segundo o Dr. Edwald Howell, pioneiro na pesquisa de enzimas:

**Uma das maiores razões do envelhecimento e da causa de morte precoce é a falta de enzimas.**

Na alimentação viva, as proteínas são fornecidas por castanhas, sementes e algas. Já os carboidratos vêm das frutas e verduras, e as gorduras podem ser extraídas do óleo de coco, linhaça e gergelim, por exemplo.

Se "você é o que você come", se você se alimentar de alimentos vivos, você se alimentará de vida. E nada melhor do que se alimentar de vida para prevenir e combater doenças! Alimentos crus, em seu estado natural, sem processamento e refinamento, são ricos em vitaminas, proteínas e gorduras. Portanto, alimentação viva regula o aparelho digestivo, emagrece e reduz o nível de colesterol, além de equilibrar os sistemas imunológico e nervoso. Os nutrientes fornecidos pela alimentação viva também previnem e combatem doenças cardiovasculares, câncer, diabetes e outras doenças crônicas. Além disso, a digestão de alimentos crus é mais rápida e gasta menos energia, possibilitando maior disposição física e mental.

Vertente da culinária vegetariana, o crudivorismo prega que os alimentos sejam consumidos *in natura*, mas, apesar desta linha nutricional excluir carnes, alguns adeptos incluem peixes crus em suas refeições. Você não precisa seguir uma dieta 100% crudívera para conquistar esses benefícios alimentares. Basta seguir o princípio clássico da alimentação viva e ter consciência dos benefícios dos alimentos crus que, naturalmente, você os incluirá na sua dieta.

## • LEGUMES E VERDURAS NOS DIFERENTES • ESTILOS ALIMENTARES

Legumes e Verduras são componentes que integram diferentes estilos alimentares. *Low Carb*, Paleolítico e Mediterrâneo são alguns deles.

Na *Low Carb*, por exemplo, preconiza-se o consumo de carnes, legumes, verduras hortaliças, raízes e frutas de baixo índice glicêmico (consulte uma tabela nutricional de índice glicêmico). Idealmente deve se consumir estes alimentos crus ou cozidos no vapor. Assim, se mantém o baixo índice glicêmico, visto que quando em altas temperaturas – assados, por exemplo – este indicador aumenta.

**O que significa *Low Carb*?** Em sua tradução livre significa "menos carboidratos". Entretanto, mais que um nome, trata-se de um conceito alimentar que propõe a redução da ingesta de carbos e aumento da proporção de gordura. Quando você faz *low carb*, deve se manter *high fat* (LCHF). O que isso quer dizer? É preciso ter em mente que quando você diminui a ingesta de carboidratos, é suprimido um dos alimentos geradores de energia do organismo. Por isso, para manter a fonte deve haver o consumo de gorduras. É comum ver pessoas que quando começam um estilo *Low Carb* relatam que não se adaptaram ou apresentam alguma fadiga. Isso ocorre porque há um temor em relação à ingesta de gordura, o que faz com que apenas baixem o consumo de carbos. Este não é o preceito da LC. Por isso, deve-se estabelecer o LCHF. O grande ponto em favor da LC é que não só de reduz a ingesta de carbos e mantém os carbos bons nas refeições, mas por haver o aumento da ingesta de boas gorduras (nada de gordura hidrogenada/trans) haverá saciedade e baixa da insulina. Isso possibilita comer apenas quando se tem fome.

Já na **Mediterrânea**, legumes e verduras que são fontes de vitaminas, minerais, fibras e antioxidantes, sempre estão presentes. Quando falamos de dieta Mediterrânea devemos ter em mente como característica-chave um conjunto de hábitos alimentares.

Os legumes estão presentes também no estilo paleolítico (vou aprofundar no próximo capítulo) e na dieta cetogênica. Diferentemente do que muitos acreditam a dieta cetogênica não está correlacionada a maior ingesta de proteína, mas sim, de gordura. Sua composição é 60% gordura, 30% de proteína e 10% vegetais etc. A base deste modelo alimentar é a gordura, que irá gerar saciedade e, por meio deste elemento, gerar os chamados "corpos cetônicos", que são os geradores de energia neste processo.

Somos únicos, cada organismo é exclusivo. E com a cetogênica isso não é diferente. Assim como o estilo Paleolítico e *Low Carb*, não se trata de um "modelo de cardápio", mas de um estilo de vida pautado na redução de consumo e, também, da exclusão de alimentos – especialmente daqueles processados, refinados e todo o universo de **"ados"** que a Indústria criou – são dois exemplos de práticas – inclusive, bem semelhantes – que podem ser inseridas na rotina das pessoas como uma forma de introduzir qualidade no que se come e melhorar o desempenho do organismo. Certo?

Dica

Se você quiser se aprofundar nos assuntos sobre low carb, cetogênica, mediterrânea e paleolítica acesse o instagram @doutorbarakat – basta procurar na lupa de busca da rede social pelas hashtags:

**#drbarakatlowcarb**
**#drbarakatpaleo**
**#drbarakatmediterrânea**
**#drbarakatcetogenica**

**#Desafio30DiasDrBarakat**

**Legumes e verduras são aliados no Desafio. Procure consumi-los diariamente e dê preferência aos orgânicos - conhecendo o produtor e a origem do alimento.**

# • REFERÊNCIAS •


ACCURSO et al; Dietary carbohydrate restriction in type 2 diabetes mellitus and metabolic syndrome: time for a critical appraisal. **Nutrition & Metabolism**, 2008. License BioMed Central Ltd. 2008 Disponível em: <https://nutritionandmetabolism.biomedcentral.com/articles/10.1186/1743-7075-5-9>. Acesso em: 15 de maio de 2018.

BARANSKI, M. et al. Higher antioxidant concentrations and less cadmium and pesticide residues in organically-grown crops: a systematic literature review and meta-analyses. British Journal of Nutrition.

BAZZANO, LA.; HU, T.; REYNOLDS, K.; YAO, L.; BUNOL, C.; LIU, Y. et al. *Efeitos de baixas em carboidratos e dietas de baixo teor de gordura : um ensaio randomizado.* Ann Intern Med. 2014; 161 : 309-318. Doi: 10.7326 / M14-0180.

ELLIN, A. *Taking Picky Eating to the extreme*. The New York Times. Jan. 17, 2017. Disponível em: <https://www.nytimes.com/2017/01/17/well/eat/picky-eating-arfid.html?rref=-collection/sectioncollection/health&_r=0>. Acesso em 15 de maio de 2018.

SHAI et al. *Weight loss with a low-carbohydrate, Mediterranean, or low-fat diet.* [N Engl J Med. 2008]. Disponível em: <https://www.nejm.org/doi/full/10.1056/NEJMoa0708681#article_letters>. Acesso em: 15 de maio de 2018.

VOLEK. Jeff S. et al. *Carbohydrate Restriction has a More Favorable Impact on the Metabolic Syndrome than a Low Fat Diet*. Lipids. (2009) 44:297. doi: 10.1007 / s11745-008-3274-2. Disponível em: <https://link.springer.com/article/10.1007%2Fs11745-008-3274-2>. Acesso em: 15 de maio de 2018.

WESTMAN, EC et al. *Low-carbohydrate nutrition and metabolism.* The American Journal of Clinical Nutrition, Volume 86, Issue 2, 1 August 2007, Pages 276–284.

Disponível em: <https://academic.oup.com/ajcn/article/86/2/276/4633078>. Acesso em: 15 de maio de 2018.

CAPÍTULO 5

# CARNES E OVOS

Quantos de vocês já ouviram o que tem de mistura para comer? Pois bem, a famosa mistura que compõe as refeições é o tema desse nosso capítulo. Carnes, aves, peixes e ovos são as alternativas alimentares que iremos abordar.

E, para começarmos a falar sobre essas misturas, quero introduzir com vocês um pouco de história. Sim, vamos retornar ao período em que viveu o homem primitivo e conhecer um pouco de seus hábitos que inspiraram o estilo paleolítico. Aos que leram o meu primeiro livro **Pilares para Uma Vida Saudável #Escolhi Ser Feliz – Ed. Pandorga - 2017** vamos agora aprofundar ainda mais nesse conceito, que inspira a muitas pessoas e contribui para o equilíbrio nutricional, bem como alcançar saúde e qualidade de vida.

Dica

**Caso você que esteja lendo esse livro, siga outra vertente alimentar que não inclui o consumo de alimentos de origem animal (ou tenha a intenção de seguir, mas quer mais informações), convido a ler no *instagram* @doutorbarakat uma série sobre vegetarianismo e veganismo. Na lupa de busca do *instagram*, digite os termos:**

**#drbarakatvegetarianismo**

**#drbarakatveganismo**

Quero que lembrem sempre que, seja qual for sua visão sobre esse assunto, procuremos respeitar as preferências alimentares de cada um. Eu me assumo carnívoro, um estilo paleo / *low carb*. Mas, quem sabe o dia de amanhã? Não é mesmo?

# ESTILO PALEOLÍTICO: O QUE APRENDEMOS COM O HOMEM PRIMITIVO

Vamos ingressar no universo da Paleolítica. Também conhecida como "primal" – termo criado por Mark Sisson, a Paleo consiste num conjunto de práticas que tem como base seguir um comportamento semelhante ao do homem da idade da pedra. Mas, o que significa dizer isso?

Nos tempos primitivos, numa época conhecida como "Era Paleolítica" – ou Idade da Pedra – a civilização era "caçadora-coletora", ou seja, a sobrevivência era calcada na caça, pesca e extrativismo rudimentar. Além dessa questão alimentar, o ser humano vivia em movimento, exposto ao sol diariamente (produção de vitamina D).

Trata-se de um período que antecede a evolução dos processos industriais, que passaram a interferir no comportamento da humanidade. O sedentarismo, a falta de vitamina D (decorrente da baixa exposição ao sol) e o contato com novos alimentos ativaram genes de doenças.

Determinados produtos que passamos a ingerir contribuíram para acionar gatilhos para obesidade, diabetes, comprometer o sistema imunológico e desencadear processos inflamatórios, bem como doenças autoimunes, demências, câncer entre outros agravos.

A vasta oferta de produtos congelados e outras "praticidades alimentares", tornaram-se "facilidades" que proporcionaram um ambiente de sedentarismo, de ausência à exposição solar (e com isso baixa nos níveis de vitamina D no organismo), e, no que cabe a interferência alimentar, esta mesma vasta oferta de comida processada, embutida, refinada com conservantes, corantes e outros produtos contribuiu para o adoecimento do organismo.

Se observarmos com os olhos da vida moderna, pode parecer um tanto "bárbaro" como vivia o homem paleolítico, porém era saudável! E ainda detemos em nossa composição genética a identidade de caçadores-coletores.

Nossos genes foram moldados durante esta Era Paleo, dentro de determinadas condições ambientais. Estamos adequados geneticamente a praticar atividades físicas, a tomar sol, a consumir alimentos como plantas silvestres, raízes, tubérculos, animais e frutos do mar, e não processados como açúcar, farinha e gordura refinada etc.

Mais do que se inspirar na alimentação do homem primitivo, trata-se de se espelhar nos aspectos ligados ao comportamento desse hominídeo das cavernas como forma de alcançar qualidade de vida e saúde.

É isto que Mark Sisson – criador do conceito Primal (autor do livro *The Primal Blueprint* e do blog *Mark's Daily Apple*) – nos trouxe como base de seus estudos do homem primitivo. Mais do que um plano alimentar, trata-se de um conjunto de práticas saudáveis inspiradas no homem primitivo. Ele esclarece que os alimentos que nossos antepassados comiam, a quantidade de sol que eles absorviam e a prática de atividades (no caso movimentação) que estabeleceram para sobreviver, moldaram seu genoma. Sisson diz: *"enquanto o mundo mudou de inúmeras formas nos últimos 10 mil anos (para melhor e pior), o genoma humano mudou muito pouco e, portanto, só prospera em condições semelhantes"*, (a do homem primitivo).

O que mudou da era primitiva pra cá? O modo como vivemos e o que ingerimos como alimento. Sempre que falo de Paleo é comum dizerem: "mas naquela época o homem das cavernas morria cedo". Pode ser, mas de acidentes, ou devorado por feras e outras questões. Hoje, realmente, nossa expectativa de vida aumentou. O que é algo bom, se não fosse a forma que isso ocorreu. Há quem viva mais, mas sem qualidade de vida ou autonomia, doente e à base de medicação. É isto que chamamos viver de fato? É de se refletir.

Entre os conceitos-chave do Plano "Primal" de Sisson, quero compartilhar dois – que como ele mesmo diz, *"não se trata de nada novo, pelo contrário, são leis que governam a evolução humana há dois milhões de anos"* –:

O primeiro deles é que a predisposição genética não significa que seu destino esteja selado. Ou seja, é possível reprogramar os genes. O que você come, a prática de exercícios, dormir com qualidade, gerenciamento do estresse, interação com o meio externo são fatores que determinam como seus genes se expressam e, consequentemente, seu nível de saúde.

O segundo aspecto cabe à ingesta de gordura em lugar de carboidratos (lembram-se do que vimos na LCHF '*low carb high fat*'?). Nosso organismo é hábil em armazenar e queimar gordura, que é fonte ideal e constante de energia para nosso corpo.

As dietas alimentares dos caçadores-coletores podem representar um padrão de referência para a nutrição humana moderna bem como ser um modelo de defesa contra determinadas doenças.

**Será que realmente comer carne vermelha ou evitar exposição ao sol – para citar apenas dois aspectos – é o que nos causará danos? Ou o malefício está em um conjunto de comportamentos alimentares e de práticas cotidianas, como comer congelados e industrializados?**

O consumo de gordura saturada, presente nas carnes (não embutidas ou industrializadas) não aumenta o risco de doenças cardiovasculares ou diabetes. A paleolítica pode resultar em melhoria de curto prazo da síndrome metabólica.

Em particular, os procedimentos de processamento de alimentos introduzidos durante os Períodos Neolítico e Industrial (com seus produtos lácteos, cereais, cereais refinados, açúcares refinados, óleos vegetais refinados, carnes gordas, sal e combinações destes produtos) alteraram fundamentalmente sete características nutricionais cruciais na alimentação ancestral do homem primitivo:

1. Carga da glicemia;
2. A composição de ácidos gordos;
3. A composição de macronutrientes;
4. Densidade de micronutrientes;
5. Equilíbrio ácido-alcalino;
6. A proporção de sódio-potássio;
7. Teor de fibra. A colisão evolutiva de nosso antigo genoma com as qualidades nutricionais dos alimentos introduzidos recentemente podem estar ligadas às doenças crônicas da civilização ocidental – conforme apresentado em estudo.

É fato que nesta altura não teremos acesso a uma comida igual a do homem das cavernas. Mas, não se trata disso. E sim, de inspirar-se no modelo alimentar que consiste numa diversidade baseada na oferta, conforme a geografia (local em que se reside), e oportunidades de acesso ao alimento conforme a época do ano. Que exclui produtos industrializados.

O que chamamos de "estilo Paleolítico", tem como base o consumo de produtos orgânicos, naturais. A recomendação da nutrição paleolítica é excluir grãos, laticínios e produtos oriundos da indústria.

A proposta é que se divida a refeição em:

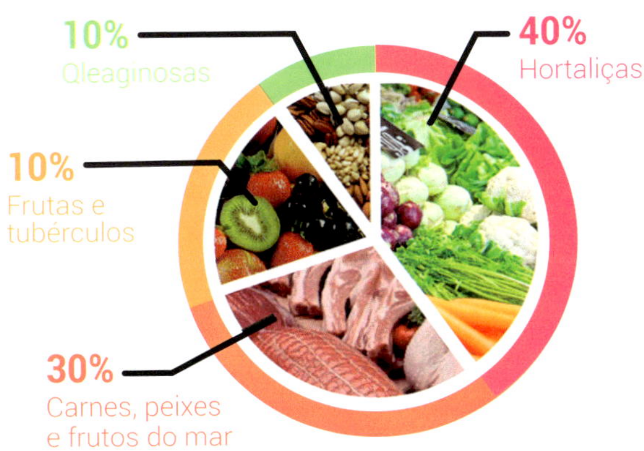


Na dieta Paleo, recomenda-se também que as carnes sejam assadas em fornos em até 220ºC, no máximo.

**Mas, afinal, quais benefícios pode haver no estilo Paleolítico?**

Um organismo que se alimenta deste tipo de nutrição está em constante oxidação de gordura, por ser sua única fonte de energia, portanto além da condição menos propensa a doenças, haverá disposição ao longo do dia todo, sem as queixas de sonolência e fadiga causadas pelo excesso da ingestão de carboidratos e hiperinsulinemia (excessos de insulina).

Já a alimentação baseada nos refinados, processados e alto consumo de carboidratos, pode contribuir para a acidificação do organismo e com o aparecimento de doenças crônicas, como as autoimunes. O pH natural do ser humano está em torno do 7.4 – levemente alcalino. Com o consumo elevado de produtos de pH elevado, o ser humano atinge 4.5 a 5.0 – o que equivale ao índice de um indivíduo com câncer, por exemplo.

Um exemplo de órgão que passou a trabalhar mais com a evolução dos produtos industrializados é o pâncreas – que por milênios viveu descansando, adormecido em seus baixos índices de insulina. Agora, aproximadamente há cinco décadas, este órgão vem sendo exaurido por um comportamento alimentar nocivo. Quando estamos com o nível alto de insulina, isso acaba se tornando um ciclo vicioso. A insulina alta estimula a fome, o que nos faz comer mais e, assim, acumular gordura na circunferência abdominal.

**O indivíduo com insulina alta não consegue mais manter níveis baixos de glicose, por ter possivelmente desenvolvido resistência insulínica e, se não mudar seu comportamento, estará caminhando para o diabetes tipo 2. Reflexo de um estilo de vida sedentário e com baixo valor nutricional.**

Estudo recente (2017) demonstrou que uma dieta paleolítica melhora a massa gorda e o equilíbrio metabólico, incluindo sensibilidade à insulina, controle glicêmico e leptina em indivíduos com diabetes tipo 2. Há indicativos de redução do risco cardiovascular nesses pacientes. A alimentação Paleo contribuiu ainda para a manutenção do colesterol LDL, redução dos níveis de triglicérides, auxiliando a reduzir a pressão arterial.

**Tenha em mente que a dieta Paleo trata exatamente do oposto de hábitos nocivos e pode ser adotada como meio de estilo de vida saudável. A perda de peso é uma consequência de uma alimentação mais saudável e equilibrada, levando à eliminação dos "venenos" da alimentação moderna ocidental, que são grandes causadores de doenças diversas.**

**Antes de começar a seguir um novo estilo de vida nutricional, procure conversar com seu médico e nutricionista para que possa otimizar ao máximo o valor nutricional dos alimentos em favor do bom funcionamento de seu organismo.**

## • CARNE DE GADO, PORCO, CARNE DE CAÇA. PERU, CODORNA, • FRANGO E PATO. ESSAS SÃO ALGUMAS DAS OPÇÕES NA CATEGORIA "CARNES E AVES" QUE PODEMOS CITAR.

Carnes (vermelhas) e aves (carnes brancas) possuem proteínas digeríveis (com baixos níveis de colágeno) de boa qualidade nutricional, lipídios insaturados (principalmente encontrados na pele), vitaminas do grupo B (principalmente tiamina, vitamina B6 e ácido pantotênico), e minerais (como ferro, zinco e cobre). Esses alimentos fornecem quantidades relevantes de nutrientes essenciais em concentrações mais altas em comparação com outros alimentos.

Além disso, a carne branca (e as aves em particular) é considerada moderadamente protetora ou neutra sobre o risco de câncer. Em caso de a pessoa ter um câncer ou mesmo genética como fator de risco, idealmente deve se consumir em baixa quantidade a carne vermelha pois se trata de um alimento com pH extremamente ácido, o que torna o corpo um ambiente propício para a propagação do câncer.

A qualidade da gordura animal e as quantidades de nutrientes dependem em grande parte da dieta do animal ou do seu padrão genético, apesar de as técnicas agrícolas recentes (orgânicas e de criação livre) terem influenciado alguns aspectos da composição da carne (falarei mais sobre o que não consumir em relação às carnes adiante).

A carne vermelha e branca contribui para o consumo de gorduras boas, especialmente as saturadas, que como abordei em meu primeiro livro e costumo apresentar a vocês nas redes sociais: a categoria saturada já saiu do banco de vilões da saúde do organismo. Essa gordura, na verdade, desempenha uma série de papeis importantes como fonte de "ácidos graxos essenciais" (como ácidos linoléicos e alfa-linolênicos) e vitaminas lipofílicas (A, D , E e K); representa uma fonte importante de energia e contribui com a sensação de saciedade.

Enquanto a carne vermelha é a mais abundante em termos de vitamina B12, as aves fornecem uma quantidade importante de niacina. As vitaminas lipofílicas, como as vitaminas E e K, contidas nos músculos, são menos abundantes na carne em comparação com os alimentos à base de plantas.

De acordo com o relatório do *World Cancer Research Fund*, os indivíduos que costumam consumir produtos de origem animal devem privilegiar as aves e os peixes sobre a carne vermelha, sendo indicado o consumo de até 300g de carne vermelha cozida por semana. Carnes processadas devem ser evitadas ao máximo. Eu indico exclusão de alimentos ultraprocessados do estilo alimentar.

C N J I **Peixes:** o peixe é um alimento rico em proteína de alto teor biológico e diversos nutrientes, minerais e vitaminas que são essenciais para uma alimentação saudável, uma vez que alguns possuem um baixo teor de gordura em comparação a outras carnes. E quando são peixes gordos, possuem uma gordura saudável! Assim como o óleo de prímula, os peixes têm uma abundância de ácidos graxos que não são produzidos pelo nosso organismo, portanto se tornam necessários em nosso consumo diário. Estudos mostram que os ácidos graxos Ômega 3 (gordura poli-insaturada), encontrados principalmente no atum, salmão e na sardinha, são importantes para o desenvolvimento do sistema nervoso central e da retina e na prevenção de doenças crônicas, como obesidade e hipertensão. Dentre seus principais benefícios, o peixe pode diminuir a taxa de colesterol, atuar nas células nervosas combatendo deficiências nutricionais desses ácidos graxos, que podem refletir em problemas de memória, diminuir o risco de doenças coronárias e arteriosclerose, atuar no processo das inflamações, controlar pressão alta e servir como fonte de proteínas e vitaminas A, E, D, niacina e micronutrientes como ferro, iodo, magnésio, cálcio, sódio, fósforo, potássio, flúor, selênio, manganês e cobalto.

Entretanto o Ômega 3 não é presente na carne desses peixes e sim nos plânctons, micro-organismos ricos deste nutriente, e são presentes somente em águas profundas e geladas, servindo como alimento destes peixes, por isto é que eles se tornam também cheios de Ômega 3. Mesmo os peixes de cativeiro sendo alimentados com linhaça e outros alimentos, não substituem os plânctons que os enriquecem com o nutriente. É importante entender que o Ômega 3 é uma gordura que representa uma família de ácidos graxos e os tipos mais frequentes e melhores para a saúde são o ácido alfa-linolênico, ácido eicosapentaenoico (EPA) e o ácido docosahexaenoico (DHA). Entre os benefícios mais reconhecidos do Ômega 3, está a proteção da saúde cardiovascular e cerebral, sendo que o EPA e o DHA são encontrados nos animais marinhos, especialmente os peixes, enquanto o ácido alfa-linoleico é de origem vegetal e pode ser convertido em DHA ou em EPA, que é o caso da chia e da linhaça. O Ômega 3 age de duas maneiras para proporcionar benefícios ao sistema cardiovascular.

Dê preferência para o pescado fresco, mais fácil de verificar a qualidade por meio do odor, textura e coloração. Observe se a carne está firme, brilhante e escorregadia; se os olhos estão brilhantes e protuberantes; e as brânquias úmidas e com brilho, entre a cor de rosa e vermelho intenso. O peixe também deve estar conservado em meio a camadas de gelo.

## • O QUE NÃO CONSUMIR? •

De onde vem a "mistura" que você consome? Você conhece sua origem? Como são criados os animais? Se estão sujeitos a maus tratos, uma série de medicamentos, hormônios, metais e outras substâncias nocivas tanto para os animais quanto para o consumo humano?

Sou a favor da criação livre, isenta de processos e produtos que envenenam literalmente o alimento e, consequentemente, poderão trazer danos ao nosso organismo.

**Sobre os peixes.** Que o consumo de peixes e frutos do mar é benéfico ao organismo não há dúvidas! Agora, é preciso ter cuidado com a procedência desse pescado e frutos do mar. Alguns possuem altas concentrações de um metal prejudicial ao organismo: o mercúrio. Além de também poder conter outros metais pesados como cobre, chumbo, arsênio e cádmio. Evite consumir peixes como cação, arenque, tainha. Prefira as espécies como salmão, sardinha, truta, pintado, atum, bacalhau. Convido vocês a assistirem em meu canal no Youtube – "Dr. Barakat" – lá vocês vão encontrar mais informações sobre esse assunto.

Segundo pesquisa feita pela Agência Internacional para Pesquisa do Câncer (IARC), a ingestão desses alimentos foi classificada como **cancerígena** para o ser humano, com base em estudos feitos por um grupo de trabalho de 22 especialistas de 10 países diferentes.

A IARC afirma que a maioria das carnes processadas contém porco ou carne bovina, mas pode ser feita de outras carnes vermelhas ou de aves, vísceras ou, ainda, subprodutos da carne como o sangue.

Além disso, carnes vermelhas foram classificadas como *"provavelmente cancerígenas para o ser humano, com base em indícios limitados, segundo os quais seu consumo induz ao câncer"*. Por "carnes vermelhas", o relatório afirma que devem ser entendidos *"todos os tipos de carne procedentes de tecidos musculares"* de mamíferos, incluindo a carne bovina, suína, ovina, equina e caprina. Neste caso, vale o bom senso.

O consumo de carne vermelha pode ser diminuído, porque ela contém nutrientes necessários para o organismo ou, se for o caso de um vegetariano, mais um motivo para não ingerir este alimento.

O problema não é a carne animal em si, mas a processada e embutida que tem maior prazo de comercialização e validade, recebendo milhares de aditivos químicos. Não é a primeira vez que vemos notícias sobre os seus malefícios na mídia, certo? Já escrevi aqui antes que os processos nos quais estes produtos passam retiram totalmente quaisquer resquícios nutricionais da carne e que, no lugar disto, ficam ricos em aditivos e conservantes. Aliás, é justamente por esta quantidade que estes produtos são cancerígenos. Já era sabido que conservantes podem ser substâncias nocivas ao organismo, há anos falo isso em minhas redes sociais, portanto, se estamos ingerindo em excesso esses tipos de alimentos, fica óbvio que estamos mandando a mensagem errada ao nosso corpo.

## Vocês se lembram da chamada "Operação Carne Fraca"?

**Acredito que muitos acompanharam essa operação deflagrada pela Polícia Federal em março de 2017 a alguns frigoríficos do país. O assunto foi estampado nos veículos de comunicação (nacionais e internacionais). Houve relatos de utilização de produtos químicos para "maquiar" o cheiro de carnes já podres, vencidas e adulteradas. Fécula de mandioca ou proteína da soja foram utilizadas para substituir proteína, para "baratear" o produto. Até determinadas partes de carne e frangos proibidas para uso eram aproveitadas. Inclusive para fazer embutidos como salsicha e mortadela. Conforme relatou um dos delegados, durante a coletiva de imprensa,** *"eles usavam ácidos e outros produtos químicos para poder maquiar o aspecto*

> *físico do alimento. Usam determinados produtos cancerígenos em alguns casos para poder maquiar as características físicas do produto estragado, o cheiro".*
> **(Trecho do portal #G1 – "Produtos químicos eram usados para 'maquiar' carnes vencidas, diz polícia" – caso você esteja lendo o livro na versão digital – clique aqui https://glo.bo/2maUSx4 – se não, procure no Google pelo nome da reportagem).**

Considero esta situação bastante extrema. Entendo que como neste caso da operação carne fraca, os meios utilizados para "baratear" a produção custaram caro, sobretudo, à população consumidora. Diante deste cenário, muitos à época me perguntaram sobre como identificar um produto de boa qualidade.

Procure conhecer o produtor e sua criação e/ou plantação. Busque alternativas para consumo na agricultura familiar, limpa e orgânica.

Evitar produtos industrializados – que para atender a demanda em larga escala usam de química e outros ingredientes que podem ser nocivos ao consumo humano –, é um passo.

Somos o país que mais consome agrotóxicos. E isso tem um preço: nossa saúde. Buscar uma mudança alimentar, livre de embutidos, congelados, industrializados e passar a investir em comida de verdade, se possível orgânica, será de grande valia no balanço final desta equação "alimento e saúde". Você sentirá a diferença no paladar e na saúde de seu organismo.

As informações estão aí. Cabe a nós escolher, saber mais sobre o que estamos ingerindo e, assim, tomar decisões conscientes. Pensem nisso!

Dica

**Nada de embutidos, enlatados e carnes processadas devem ser incluídos nessa categoria. Em outubro de 2015 a Organização Mundial da Saúde (OMS) emitiu um comunicado sobre a relação entre câncer e o consumo de produtos embutidos e carnes processadas.**

## Carnes, Aves, Peixes e Ovos

São muito bem-vindos no nosso Desafio 30 dias e também nos estilos alimentares como *Low Carb*, Paleo e mediterrâneo, por exemplo. A ideia aqui é excluir embutidos, industrializados etc. por esses alimentos na versão orgânica.

**#Desafio30DiasDrBarakat**

# • REFERÊNCIAS •

CORDAIN, Let al. *Origins and evolution of the Western diet: health implications for the 21st century*. The American Journal of Clinical Nutrition, Volume 81, Issue 2, 1 February 2005, Pages 341–354. Disponível em: <https://academic.oup.com/ajcn/article/81/2/341/4607411#sec-20>. Acesso em 15 de maio de 2018.

DOMÍNGUEZ-RODRIGO M, Pickering TR, Diez-Martín F, Mabulla A, Musiba C, Trancho G, et al. (2012) *Earliest Porotic Hyperostosis on a 1.5-Million-Year-Old Hominin, Olduvai Gorge, Tanzania*. PLoS ONE 7(10): e46414.. Disponível em: <http://journals.plos.org/plosone/article/authors?id=10.1371/journal.pone.0046414>. Acesso em 15 de maio de 2018.

EATON, SB 1, EATON, SB 3ª. *Paleolithic vs. modern diets—selected pathophysiological implications*. Eur J Nutr. 2000 Abr; 39 (2): 67-70.

GALLAGHER, James. Linguiça, bacon e presunto são cancerígenos, diz OMS. BBC News., 2015. Disponível em: <http://www.bbc.com/portuguese/noticias/2015/10/151026_carne_cancer_oms_fn>. Acesso em: 15 de maio de 2018.

JÖNSSON, T.; GRANFELDT, Y.; AHRÉN, B.; BRANELL, UC.; PÅLSSON, G.; HANSSON, A.; SÖDERSTRÖM, M.; LINDEBERG, S. *Beneficial effects of a Paleolithic diet on cardiovascular risk factors in type 2 diabetes: a randomized cross-over pilot study*. CardiovascDiabetol. 2009;8:35. Acesso em 15 de maio de 2018.

MARANGONI, F.; CORSELLO, G.,;CRICELLI, C. et al. *Role of poultry meat in a balanced diet aimed at maintaining health and wellbeing: an Italian consensus document*. Food & Nutrition Research. 2015;59:10.3402/fnr.v59.27606. doi:10.3402/fnr.v59.27606.

MASHARANI, U. et al. (2015). *Metabolic and physiologic effects from consuming a hunter-gatherer (Paleolithic)-type diet in type 2 diabetes*. European Journal of Clinical Nutrition. Disponível em: <http://www.nature.com/articles/ejcn201539>. Acesso em 15 de maio de 2018.

MICHA, R.; WALLACE, SK.; MOZAFFARIAN, D. *Red and processed meat consumption and risk of incident coronary heart disease, stroke, and diabetes: A systematic review and meta-analysis.* Circulation. 2010;121(21):2271-2283. doi:10.1161/CIRCULATIONAHA. 109.924977.

PASTORE, RL.; BROOKS, JT.; CARBONE, JW. (2015). *Paleolithic nutrition improves plasma lipid concentrations of hypercholesterolemic adults to a greater extent than traditional heart-healthy dietary recommendations.* Nutrition Research (New York, NY). Disponível em: <https://www.sciencedirect.com/science/article/pii/S0271531715000974?via%3Dihub>. Acesso em 15 de maio de 2018.

WORLD *Cancer Research Fund/American Institute for Cancer Research.* Washington, DC: AICR; 2007. Food, nutrition, physical activity, and the prevention of cancer: a global perspective.

CAPÍTULO 6

# OLEAGINOSAS

Vamos falar sobre um grupo alimentar de grande valor nutricional e energético para o organismo: o das oleaginosas. Nozes, castanhas de caju e do Pará, pistache, amendoim, avelãs, amêndoas, macadâmias.

**Também conhecidas como *nuts*, elas fazem parte da alimentação dos seres humanos há milhares de anos, desde a Era Paleolítica, do homem primitivo, coletor. Possivelmente, tenha sido um dos primeiros alimentos a serem consumidos por nossos ancestrais. Nas diferentes civilizações, como a grega, fenícia e romana, as oleaginosas eram utilizadas inclusive na prevenção e até mesmo como tratamento de doenças.**

Incorporar itens como as oleaginosas no estilo alimentar pode trazer múltiplos benefícios à saúde do organismo. Em geral, as sementes oleaginosas são fonte de proteínas, de vitamina A, vitamina E, fibras, minerais, gorduras boas (ácidos graxos monoinsaturados e poli-insaturados), lipídeos, cálcio, potássio, folato, magnésio, selênio. Também são baixas em sódio e não têm colesterol. Juntamente com esse perfil nutritivo positivo, ainda têm qualidades oxidantes devido à presença de fenóis, fitoesteróis, flavonóides, resveratrol e outros compostos bioativos.

Comer um punhado de oleaginosas por dia, como parte de uma rotina saudável, é uma pratica que está presente nos estilos de vida Paleo, *Low Carb*, na Dieta Mediterrânea e Cetogênica (falo de cada um deles em meu primeiro livro **Pilares para Uma Vida Saudável #Escolhi Ser Feliz – Ed. Pandorga - 2017).**

Há estudos que comprovam os benefícios das *nuts* na alimentação humana. Uma nova pesquisa conduzida por pesquisadores da *Loma Linda University Adventist Health Sciences Center*, situada na Califórnia, descobriu que comer oleaginosas regularmente fortalece as frequências de ondas cerebrais associadas à cognição, cura, aprendizado, memória e outras funções chaves do cérebro. No estudo intitulado *"Nuts e o Cérebro: Efeitos de comer nozes na mudança das ondas cerebrais de eletroencefalograma"*, os pesquisadores descobriram que algumas oleaginosas estimulavam algumas atividades do cérebro mais do que outras. Pistache, por exemplo, produziu a maior resposta de onda gama, que é crítica para melhorar o processamento cognitivo, retenção de informação, aprendizado, percepção e movimento rápido dos olhos durante o sono – relata o estudo.

**AS OLEAGINOSAS**
podem ser inclusive utilizadas como
**MATÉRIA-PRIMA** para a produção
de **LEITES VEGETAIS,**
excelente opção em substituição
ao leite de origem animal.

P I D M
U J C E

### Entre suas contribuições temos:

- Redução dos níveis de colesterol "ruim";
- Ajudam a diminuir o risco de doença cardíaca e diabetes mellitus tipo 2;
- Protegem o organismo de danos celulares;
- Regulam as funções hormonais;
- Reduzem risco de síndromes metabólicas (dislipidemia, hipertensão, obesidade abdominal, resistência à insulina e hiperglicemia);
- Boas para a saúde da pele;
- Contribuem com o fortalecimento do organismo;
- Manutenção do peso e redução do risco de sobrepeso e obesidade;

Se sozinhas cada uma delas tem qualidades, imagine somadas em um "mix".

**Atenção:** oleaginosas (*nuts*) podem ocasionar reações alérgicas àqueles que têm propensão a isso. Antes de consumi-las certifique-se de que você não tenha alergia a elas. Apesar dos benefícios para a saúde, consulte sempre seu nutricionista e seu médico para avaliar sua condição e poder aproveitar o maior potencial dos alimentos de acordo com seu organismo.

### Oleaginosas no #Desafio30diasDrBarakat

As oleaginosas podem ser inseridas no Desafio 30 Dias. Que tal experimentá-las em lugar daqueles snacks industrializados? Também são excelentes matérias-primas para o preparo de farinhas que podem ser usadas em bolos funcionais, panquecas, por exemplo.

**Lembrem-se** que devem ser consumidas em pequenas quantidades, devido ao seu alto teor calórico. Crianças com menos de quatro anos de idade não devem consumir oleaginosas in natura, pois podem ocorrer engasgos. Após esse período, ao introduzir na alimentação da criança as nuts, observe se não há manifestação de alguma alergia. Acompanhamento de pediatra e nutricionista são essenciais no decorrer do desenvolvimento infantil.

## • REFERÊNCIAS •

BERK, L.; et al. Nuts and Brain Health: Nuts Increase EEG Power Spectral Density (μV&[sup2]) for Delta Frequency (1–3Hz) and Gamma Frequency (31–40 Hz) Associated with Deep Meditation, Empathy, Healing, as well as Neural Synchronization, Enhanced Cogn. FASEB, 2017.

BURNS, AM. et al. Diet quality improves for parents and children when almonds are incorporated into their daily diet: a randomized, crossover study. Journal of Nutrition. 2016.

IBARROLA-JURADO, N. et al. Study Investigators. Cross-sectional assessment of nut consumption and obesity, metabolic syndrome and other cardiometabolic risk factors: the PREDIMED study. PLoS One. 2013;8:e57367. doi: 10.1371/journal.pone.0057367.

LOMA LINDA UNIVERSITY ADVENTIST HEALTH SCIENCES CENTER. Consuming nuts strengthens brainwave function: Researchers find that nuts benefit the brain by enhancing cognition, memory, recall and rest. ScienceDaily. ScienceDaily, 15 November 2017. Disponível em: <https://www.sciencedaily.com/releases/2017/11/171115091809.htm>. Acesso em 15 de maio de 2018.

MAGUIRE, LS. et al. *Fatty acid profile, tocopherol, squalene and phytosterol content of walnuts, almonds, peanuts hazelnuts and the macadamia nut.* Int J Food Sci Nutr. 2004;55:171–178. doi: 10.1080/09637480410001725175.

O'NEIL, CE.; FULGONI, VL.; NICKLAS, TA. *Tree Nut consumption is associated with better adiposity measures and cardiovascular and metabolic syndrome health risk factors in U.S. Adults*: NHANES 2005–2010. *Nutrition Journal.* 2015;14:64. doi:10.1186/ s12937-015-0052-x.

SALAS-SALVADÓ, J.; CASAS-AGUSTENCH, P. SALAS-HUETOS, A. *Cultural and historical aspects of Mediterranean nuts with emphasis on their attributed healthy and nutritional properties.* Nutr Metab Cardiovasc Dis. 2011;21(Suppl 1):S1–S6. doi: 10.1016/j.numecd.2010.10.013.

CAPÍTULO **7**

# GRÃOS E SEMENTES

Chia, Linhaça, Aveia, Quinoa, Gergelim. O que estes alimentos podem ter em comum? São grãos e sementes do bem. Cada um deles contém propriedades que podem contribuir com o bom funcionamento do organismo.

P N M E C I J

## Aveia

Fonte de triptofano, um aminoácido essencial, precursor de neurotransmissores como a serotonina, que garante sensação de bem-estar e relaxamento. Com isso colabora para a manutenção do sono.

É fonte de fibras, minerais e tem propriedades antioxidantes. É boa para a saúde óssea e do coração. Auxilia no crescimento e metabolismo e fortalece a função imune. Contribui para regular a pressão arterial.

Ajuda a reduzir os níveis de açúcar no sangue e auxilia na manutenção do colesterol. Também contribui para reduzir o risco de doenças cardíacas, obesidade e diabetes tipo 2.

**Celíacos devem procurar aveia sem glúten – já tem no Brasil algumas marcas nacionais e importadas. Aos que evitam glúten como eu, acreditem, o que a aveia de boa qualidade possui é irrisório (ela contém glúten por conta da contaminação cruzada na sua estocagem e moagem).**

M D C I

## Chia

Ela é originária do México, onde povos de civilizações antigas da região já se beneficiaram de seus nutrientes. Suas sementes são bem pequenas, podendo ser de cor marrom ou amarelada, lembrando o dourado, abrigando nutrientes como ácidos graxos, minerais, fibras e proteínas.

Entre os vários benefícios dessa pequena, porém, muito nutritiva semente, quero apresentar cinco:

- Suas fibras ajudam a regular o trânsito intestinal, retirando toda sujeira e evitando ou tratando a prisão de ventre;
- Atua também no controle do colesterol, diabetes, graças às suas fibras que controlam a glicemia;
- Fortalece o sistema imunológico, por ser uma boa fonte de minerais e Ômega 3;

- A Chia possui alto teor de ácidos graxos poli-insaturados essenciais, gorduras consideradas benéficas ao organismo, principalmente o Ômega 3 (ácido graxo alfa-linolênico);
- Além disso, contém baixo índice glicêmico e é fonte natural de antioxidantes, como o ácido cafeico e ácido clorogênico.

Suas sementes são boa fonte proteica, graças à presença de grande quantidade de aminoácidos essenciais – aqueles que não são produzidos pelo nosso organismo como a isoleucina, leucina, lisina, treonina e triptofano, por exemplo.

Além destes itens, o sistema cardiovascular também é beneficiado, por conta do Ômega 3, que nos protege contra AVCs, hipertensão e infarto.

Já a fama que a chia tem ao ajudar na perda de peso se dá porque, em contato com os sucos gástricos, transforma-se em gel, preenchendo a superfície estomacal, fazendo com que ocorra mais rapidamente a sensação de saciedade.

A chia é um excelente alimento para fazer parte do seu processo de ressignificação da alimentação.

## C M J E I D Linhaça

A linhaça é uma semente originária da região da antiga Mesopotâmia, datada de 5 mil a.C., e é benéfica ao sistema cardiovascular e intestino. Com propriedades anti-inflamatórias, antioxidantes, alto teor de Ômega 3, vitamina e minerais.

Existem 2 tipos de linhaça: a marrom e a dourada. Em relação a nutrientes elas não se diferem muito, ambas possuem grandes quantidades de ácidos graxos (Ômegas 3 e 6). As lignanas, presentes na linhaça, também merecem destaque por sua semelhança com o estrógeno – hormônio feminino ovariano – sendo chamada de fitoestrógenos.

Essa característica tem a ver com a possibilidade de auxiliar na proteção contra o câncer de mama e à saúde dos ossos.

Entre os benefícios estão:

- Auxílio na perda de peso, por conta de suas fibras que controlam a glicemia bom para diabéticos – evitando picos de insulina e acúmulo de gordura. Aumenta a sensação de saciedade, controlando o apetite;
- Ajuda a controlar o colesterol, reduzindo o LDL e aumentando o HDL pela ação dos ácidos graxos (Ômegas 3 e 6), gordura poli-insaturada benéficas ao sistema cardiovascular. Com o LDL baixo, as possibilidades de infartos, AVCs e problemas de pressão arterial são reduzidas;
- O trânsito intestinal também é melhorado com o consumo da linhaça. Suas fibras incentivam a renovação e o trabalho da microbiota, o que ajuda na absorção eficiente dos nutrientes.

**A linhaça** pode ser consumida em pratos quentes e frios, com saladas de frutas, como complemento de legumes cozidos ou da forma que a criatividade mandar. Quero lembrar que, sozinha, a linhaça não faz mágica. É preciso uma mudança de hábitos para aumentar nossa qualidade de vida. E quais novos hábitos são esses? Manter uma alimentação e saúde intestinal de qualidade, com comida de verdade e livre de produtos industrializados, praticar exercícios regularmente, sono restaurador e equilíbrio entre corpo, mente e espírito.

## E N Quinoa

M D É rica em Ômega 3 e 6 e em vitaminas. Também possui triptofano. Aliada a outros alimentos ricos nesta substância, a quinoa pode garantir uma melhora no humor e mandar para bem longe o estresse!

Também tem proteínas, o que torna a digestão mais lenta e faz com que o seu organismo se sinta satisfeito. Aliado a isto, temos as fibras presentes, que aumentam este poder de saciedade e ajudam no controle do apetite! Se consumido como farinha (de quinoa – leia aqui no livro o Capítulo sobre Farinhas), saibam vocês que duas colheres já são suficientes para fornecer aproximadamente 10% da nossa necessidade de fibra diária. É importante destacar que algumas pesquisas sugerem que a farinha de quinoa ajuda a reduzir as taxas de açúcar e melhora a sensibilidade à insulina, além de diminuir os níveis de triglicérides. Se associada a um estilo alimentar com pouca gordura trans e muitas frutas, verduras, cereais e grãos integrais, este alimento pode prevenir o surgimento da síndrome metabólica.

Além disso, o conteúdo nutricional de dietas alimentares sem glúten foi significativamente melhorado pela adição de quinoa em refeições e lanches, elevando o teor de proteínas, ferro, cálcio e fibras.

**Grãos e Sementes no #Desafio30diasDrBarakat**

Grãos e sementes são muito bem-vindos no nosso Desafio 30 Dias. Vale a pena experimentar em receitas de bolos substituir as farinhas comuns ou mesmo pratos salgados como saladas, por exemplo.

## REFERÊNCIAS

ADLERCREUTZ, H. *Lignans and human health*. Crit Rev Clin Lab Sci. 2007;44(5–6):483–525.

ALHASSANE, T.; XU, XM. Flaxseed lignans: source, biosynthesis, metabolism, antioxidante activity, bio-active components and health benefits. Compr Rev Food Sci Food Saf. 2010;9:261–269.

AYERZA, R.; COATES, W. *Chia: nova fonte de ácidos gordos Omega-3, antioxidantes naturais e fibra dietetica.* Centro Sudoeste de Pesquisa e Comercialização de Produtos Naturais. Tucson: escritório de estudos de terras áridas; 2001.

CAHILL, J. Ethnobotany de chia, Salvia hispanica L. (Lamiaceae) Econ Bot. 2003; 57 : 604-618. Doi: 10.1663 / 0013-0001 (2003) 057 [0604: EOCSHL] 2.0.CO; 2.

FERNANDEZ, I.; VIDUEIROS, SM.; AYERZA, R.; COATES, W.; PALLARO, A. (2008). Impact of chia (Salvia hispanica L.) on the immune system: preliminary study. Proceedings of the Nutrition Society, 67 (OCE), E12 doi:10.1017/S0029665108006216

GOYAL, A. et al. *Flax and Flaxseed Oil: An Ancient Medicine & Modern Functional Food*. Journal of Food Science and Technology 51.9 (2014): 1633–1653. PMC. Acesso em 15 de maio de 2018.

IVANOVA, S.; RASHEVSKAYA, T.; MAKHONINA, M. *Flaxseed additive application in dairy products production*. Procedia Food Sci. 2011;1:275–280.

MOHD, A.; NORLAILY et al. *The Promising Future of Chia, Salvia Hispanica L*. Journal of Biomedicine and Biotechnology 2012 (2012): 171956. PMC. Acesso em 15 de maio de 2018.

SINGH, KK.; MRIDULA, D.; REHAL, J.; BARNWAL, P. *Flaxseed- a potential source of food, feed and fiber*. Crit Rev Food Sci Nutr. 2011;51:210–222.

ULLAH, R. et al. *Nutritional and Therapeutic Perspectives of Chia (Salvia Hispanica L.): A Review*. Journal of Food Science and Technology 53.4 (2016): 1750–1758. PMC. Acesso em 15 de maio de 2018.

WESTCOTT, ND.; MUIR, AD. (1996). *Variation in the concentration of the flax seed lignan concentration with variety, location and year*. In: Proceedings of the 56th Flax Institute of the United States Conference, Flax Institute of the United States, Fargo, ND, pp. 77–80.

CAPÍTULO **8**

# LEITES VEGETAIS

**Chegamos num capítulo que** apresenta um tema do qual gosto muito de falar: "leites vegetais". Isso porque além de podermos esclarecer os benefícios dessa bebida – que tem como base alimentos como coco, amêndoas, inhame, castanha e pistache (para citar alguns) –, falaremos também sobre os malefícios do leite de vaca.

Sim, aqui estou eu mais uma vez procurando explicar o porquê de essa que chamo de "bebida mugida" não agregar valor à saúde do organismo, pelo contrário. Esse assunto não poderia ficar fora desse livro, afinal, em se tratando de **ressignificação alimentar**, o leite de vaca, a farinha e açúcar refinados são os itens que podemos considerar campeões no quesito "dificuldade de excluir" dos hábitos alimentares.

Em **"Pilares para Uma Vida Saudável #EscolhiSerFeliz" (Ed. Pandorga; 2017)** abordei alguns aspectos sobre o leite de vaca. Agora, vamos aprofundar ainda mais no tópico (talvez esse se torne o maior capítulo desse meu segundo livro), falar um pouco mais para então entrarmos nos leites vegetais como opção, está bem?

Espero que aqui vocês encontrem informações que contribuam com a saúde de seu organismo. Para isso, se você – assim como eu fui um dia – é um "bezerro", ou seja, alguém alguém que desde a infância não vive sem o leite, peço que leiam sem preconceitos. Aqui nada é impositivo, pois acredito que a mudança, para acontecer, deve vir de dentro para fora. Começa na mente e, então, é possível partir para a prática. A proposta é: se proponha a experimentar a vida sem o leite de vaca. Observe como se sente após mais ou menos um mês sem ele e seus derivados. A partir daí, quem sabe, você consiga deixar velhos hábitos. Mas, se ainda assim você mantiver a bebida em sua rotina alimentar, ao menos saberá que é por "gosto", não mais porque um dia a "indústria de laticínios" lhe disse que ali, no leite de vaca, estavam contidos nutrientes essenciais para o corpo – sobretudo, no que cabe ao desenvolvimento infantil.

## • LEITE DE VACA X LEITE MATERNO: A ORIGEM •

Quero abrir um espaço aqui para falar sobre isso: por anos, mães, famílias, acreditaram que o leite de vaca (em pó ou líquido) era um excelente alimento para complementar ou (pasmem) até mesmo, substituir o leite materno. Saibam que apenas esta é a mais absoluta verdade: **"Leite materno é o único e suficiente alimento necessário para nutrir o bebê nos primeiros anos de vida".** Inclusive, de acordo com a Organização Mundial da Saúde (OMS), o indicado é que se mantenha o aleitamento materno até pelo menos os 6 meses – sendo ideal até os 1-2 anos de vida.

Esse ano, enquanto finalizava a redação desse livro (2017, enquanto concretizava mais esse projeto), li uma reportagem no jornal norte-americano New York Times, que fala sobre exatamente isso, denominada "Como a Grande Indústria Viciou o Brasil em *Junk Food*" (indico a leitura COMPLETA. Para tanto, basta copiar esse título e procurar no Google – se você está lendo esse livro em versão digital – clique aqui http://nyti.ms/2xcZiHx).

Uma reportagem que não é apenas um alarme, mas um grande dossiê dos reflexos da alimentação industrializada para a saúde humana. Na matéria há um grande recorte que esclarece as ingerências de uma poderosa indústria de laticínio que por anos pressionou para que o aleitamento exclusivo fosse apenas até os 4 meses de idade, o que (graças a Deus) foi revisto pela OMS passando a ser o mínimo de 6 meses.

Mães que amamentam seus filhos: considerem manter o aleitamento até os 2 anos de idade ou mais (indicação OMS), mesmo após a introdução alimentar, que é um período que como o nome diz, tem por objetivo "introduzir", ou seja, apresentar aos bebês o universo dos sólidos para que se familiarizem com sabor, cor, textura, cheiros. A essência aí não é nutrir, pois a nutrição vem exatamente do leite materno. Se você já ouviu sobre "leite fraco" ou "leite insuficiente" – esqueça isso. Não existe leite fraco e, como diz a pediatra e endocrinopediatra do Instituto Dr. Barakat de Medicina Integrativa, a Dra. Natália Almeida Prado, "somos fábrica, não estoque", logo, a produção de leite materno se dá de acordo com a demanda da criança. Casos excepcionais que requerem indicação de fórmula devem ser analisados com pediatras e nutricionistas que tenham preferencialmente essa visão e sejam o que chamamos de "pró-aleitamento".

### MAS DR. BARAKAT, POR QUE VOCÊ ENTROU NESSE ASSUNTO DE "ALEITAMENTO MATERNO" AQUI NO LIVRO?

Simples. Origem.

Para compreendermos a origem desse "vício" adquirido por muitos de beber leite. Começou na base, na nossa formação de referência nutricional, ou seja, na infância. Foi aí que conhecemos o sabor do leite. Entendem?

Se observarmos atentamente a essa raiz, talvez compreendamos a astúcia da indústria. Estrategicamente eles vão no coração do potencial consumidor. Sabem quem? As crianças. É aí que mora grande parte dos investimentos e esforços. Não é à toa que houve um movimento para coibir publicidades direcionadas às crianças. Afinal, é nesse período da vida que se formam grande parte de nossos gostos alimentares. E, depois, quando adultos, sabemos a luta que é **ressignificar** o paladar, não é mesmo?

**Saibam que somos os únicos mamíferos que continuam a manter o leite na alimentação. Até mesmo o bezerro, após o desmame, não consome mais o leite da vaca. Pensem nisso!**

# VAMOS AO LEITE

## • AFINAL, O QUE É ESSA BEBIDA? •

A questão sobre o leite é amplamente discutida há anos, tanto entre a população em geral quanto comunidade científica. Bem como em outras fontes, afinal as pesquisas sobre ele são, obviamente, financiadas pela Indústria Lactea. Então, de certo que encontraremos diversas visões sobre o seu consumo e impactos no organismo. Sabemos que tanto o tabaco quanto o açúcar tiveram suas verdades reveladas – tendo sido quanto aos seus reais efeitos sobre a saúde do ser humano. Acredito que o conhecimento de benefícios e efeitos adversos deve estar à mão de todos e, com base neste saber, as pessoas poderão tomar a decisão de continuar a consumir determinado produto ou não.

Qual leite a sociedade em geral mais consome? O longa vida. Acontece que dentro de cada "atrativa" caixinha há um líquido que um dia foi leite. A bebida encontrada à mão nas gôndolas, oferecida pela Indústria, passou por todo um processo que descaracterizou totalmente a originalidade do que a vaca ofertou.

Em linhas gerais: ele foi ordenhado mecanicamente, passou por uma mangueira, caiu num caldeirão (tudo aparelho metálico), recebeu formol, conservante, emulsificante etc., e depois foi envasado numa embalagem de alumínio e/ou plástico. Daí foi conduzido num caminhão por horas de transporte, quem sabe com oscilação de temperatura, sofrendo reações químicas entre estes conjuntos de substâncias. Então, você adquire seu leite com a proposta de longa duração.

**Reflita a deturpação que passa o leite para poder alcançar este prazo de validade tão satisfatório aos olhos de muitos. E, após aberto, recomenda-se ainda consumir em "3-5 dias"?! É de se pensar!**

**Antes de mais nada: quanto maior a longevidade de um alimento, menor a longevidade de sua saúde.**

Outro ponto é que a sociedade não quer mais o leite gordo, que possui gordura saudável, proteínas e pouca lactose. Se você é destes que pensam: "ah, mas para aqueles com intolerância há o "*lac-free*"– vamos esclarecer isso:

Primeiramente quero dizer que não existe leite totalmente sem lactose! O que existe é algum tipo de leite semidesnatado, em que ocorre a adição de enzima lactase que, por algumas manobras burocráticas, acaba conseguindo o rótulo de "*lac-free*".

### HOUVE UMA CORRIDA PELA TIPAGEM "DESNATADO". MAS, O QUE DE FATO É ISTO?

Quando se retira a gordura do leite da vaca, o que sobra é um líquido ralo. Para obter textura como se conhece e torná-lo palatável, se adiciona lactose em quantidade. Este leite carregado de lactose, que é o desnatado, tem desenvolvido muita intolerância nas pessoas, pois é consumido geralmente em grande quantidade, e apresenta altos índices deste carboidrato que é a lactose.

O carboidrato presente no leite não faz parte da digestão natural do homem. O próprio bezerro só consegue digerir o leite por aproximadamente oito meses. Ele não tem mais lactase, por isso parte para comer a grama.

**O bezerro toma o leite da mãe dele enquanto há nutrientes necessários e então para. Sábia a natureza.**

Nós, tomamos o de nossa mãe (amamentação), daí partimos para o leite de vaca. Não consigo achar natural, ainda mais com os argumentos que a Indústria tece. Vamos a alguns deles:

**O leite tem uma proteína boa?**
Sim, mas dentro de cada litro de leite embalado,
a quantidade de proteína é pequena, diria ínfima
– então este não é o argumento em favor desta bebida.

Quanto a ser fonte de cálcio. Resumidamente, o leite não tem essa propriedade. Isso porque nosso corpo **NÃO** é capaz de absorver o cálcio do leite da vaca, pois ele também eleva a acidez do pH corporal. Isso implica na proteção do próprio corpo, fazendo o contrário, ou seja, ele utiliza o nutriente que já temos para combater o ácido altíssimo do leite, então ocorre a perda, e não o ganho de cálcio!

**São boas fontes de cálcio, por exemplo, verduras verdes escuras, legumes e oleoginosas. Invista em brócolis, espinafre, sementes (como gergelim, linhaça e chia), tofu, lentilha, grão de bico e ervilha!**

**POR QUE ANTES MINHA AVÓ TOMAVA O LEITE E TUDO BEM?**

Diferentemente de outrora, em que as pessoas mantinham um consumo moderado do leite: era um copo de manhã e outro ao final da tarde ou ao deitar-se, hoje o consumo é exagerado e se dá de diversos derivados: bebemos leite, consumimos iogurte, queijo branco, ricota, cottage, bebidas lácteas etc. É um "over" de leite, e pior: que leite? O industrializado, o corrompido.

Sim, temos alergias e intolerância. Coisas distintas, esclareçamos. Entenda uma coisa, o que dá alergia no leite é a proteína chamada caseína. Você a encontra também no queijo, na manteiga, por exemplo. Se a pessoa é alérgica, de certo que não pode tomar nenhum leite e derivado.

Já a intolerância é uma questão enzimática. Trata-se da falta da lactase – a enzima responsável por digerir o carboidrato do leite, que é a lactose. Há inclusive crianças que nascem com a ausência desta enzima. E, esmagadora parte dos adultos esgota sua reserva de lactase ao longo da vida, devido ao excesso do consumo de lactose.

**Se você não apresenta problema com a caseína, mas tem intolerância – o queijo gordo, bem curado, maturado, que já fermentou toda a presença do açúcar – ou seja, da lactose, então, com moderação, pode consumir lascas de queijo na sua salada, ou em outra refeição.**

Aos que consideram a vida sem graça sem o leite, sem glúten... que tal **ressignificar** a forma como tem se relacionado com a comida? A verdadeira graça à mesa está, sobretudo, na companhia com quem compartilhamos os alimentos – inclusive a sua, se você costuma fazer refeições só! É um momento feito para desfrutar do principal: nutrientes. Alimente seu corpo, nutra suas células. Este é o propósito de comer. Quanto ao sabor, temos visto que qualidade e paladar podem e devem caminhar juntos! A era do insosso ficou para trás há tempos.

**Diarreia, constipação, infecções respiratórias, respiratória, catarro, bronquite, cefaleias e dermatites – entre outros –, estão ligados a processos inflamatórios em nosso organismo. A intolerância ao leite pode trazer consigo estes digamos "efeitos adversos".**

Aos que tem ao seu alcance uma vaca criada solta, sem ser submetida a hormônios etc., este privilégio deve ser aproveitado, se você não tiver restrição. Com moderação. Afinal, como disse, o excesso ao longo da vida "queima" a capacidade do organismo de lidar com a lactase. Temos o livre arbítrio. As informações estão por toda a parte.

**Entendam: hoje muitas são as opções para escolhermos para beber – como veremos a seguir nos leites vegetais. Como disse anteriormente aqui no início desse texto, se você decide consumir o leite, esteja assumindo que é porque de alguma forma "gosta", NÃO porque precisa, ou é bom para sua saúde! Porque isso não procede.**

**Dica:** Para saber mais sobre leite de vaca, relacionado a temas como osteoporose e doenças autoimunes, indico que entrem no meu *instagram* @doutorbarakat e, na lupa de busca da rede social", procurem pela hashtag #drbarakatleite

# LEITES VEGETAIS

De coco, amêndoas, inhame, aveia e castanha. Essas são algumas das opções de matéria-prima para a produção de leite vegetal natural e caseiro. Sim! Ou vocês acharam que iríamos consumir produto industrializado? Nada disso! Aqui é mão na massa! Fazer e consumir! Participar do processo produtivo pode deixar tudo com mais sabor ainda – afinal, essa é a proposta desse nosso livro.

Vamos conhecer cada uma dessas alternativas ao leite de vaca que podem ser utilizadas em receitas como preparo de bolos, panquecas, purês, papinhas e, até mesmo, preparar um bom *cappuccino* (quem me segue no *instastories* sabe que amo um bom *cappuccino* com leite de coco).

P D N C **Leite de coco:** O coco em si é considerado altamente nutritivo e rico em fibra. Possui vitaminas C, E, B1, B3, B5 e B6 e minerais, incluindo ferro, selênio, sódio, cálcio, magnésio e fósforo. Não tem lactose, sendo indicado inclusive a quem tem intolerância à lactose. Possui ácido láurico, um ácido graxo saturado de cadeia média que no corpo é convertido num composto (monolaurina). Este tem propriedades antivirais e antibacterianas e pode contribuir protegendo o organismo de infecções e vírus. Diferentemente das nozes, o coco dificilmente causará alguma alergia. O coco pertence à família das palmeiras e não à família das nozes. E o leite de coco na verdade não é leite. (Sobre os benefícios do coco, você encontra informações nesse livro também no capítulo de óleos e gorduras, quando falo sobre o óleo de coco).

M C N E J P D **Leite de Amêndoas:** rica fonte de vitamina E, cálcio, fósforo, ferro e magnésio. Também contém zinco, selênio, cobre e niacina. As amêndoas são fonte de nutrientes que ajudam no desenvolvimento e saúde do cérebro humano; melhoram a saúde óssea, previnem doenças cardíacas, fortalecem o sistema imunológico, auxiliam na saúde da pele, contribuem para regular a pressão sanguínea, para prevenir o câncer, além de auxiliar no controle do diabetes e prevenir constipação intestinal. Comer amêndoas regularmente pode ajudar a aumentar os níveis de colesterol HDL (lipoproteína de alta densidade), ao mesmo tempo em que melhora a forma como ele remove o colesterol do corpo. Há estudos que apontam o leite de amêndoa como um substituto eficaz ao leite de vaca em crianças com alergia ou intolerância alimentar (isso considerando a população acima dos 4 anos de idade).

P E D J C I **Leite de Inhame:** assim como outros tubérculos, o inhame contém altas quantidades de proteínas, aminoácidos, vitamina C e B, caroteno, sendo também uma boa fonte de potássio. Contém quantidades significativas de fibra dietética. Apresenta propriedades antioxidantes (por conter vitamina A e betacaroteno), que combate os radicais livres. É uma boa fonte de minerais como cobre, cálcio, potássio, ferro, manganês e fósforo. Possui propriedades depurativas e desintoxicantes, já que favorece a eliminação de toxinas pela pele, rins e intestino. Boa fonte de carboidratos complexos, com baixo índice glicêmico. Além disso, em mulheres na idade adulta pode ajudar a aliviar sintomas da TPM e da menopausa (como irritabilidade).

E P M I **Leite de Aveia**: a aveia apresenta alto teor de fibras alimentares, como glucano, proteínas funcionais, componentes lipídicos e de amido e fitoquímicos e possui bom valor nutricional. Entre os benefícios de seu consumo, podemos citar suas propriedades hipocolesterolêmicas e anticancerígenas. A aveia também foi considerada como adequada na alimentação de pacientes celíacos – ou seja, que têm intolerância ao glúten (nesse caso procure por aveias que sejam totalmente isentas de glúten, já há marcas no Brasil, assim não se corre o risco de adquirir aveia impactada por contaminação cruzada pelo glúten). Também é boa contra os problemas gastrointestinais. Pode ser uma boa fonte de carboidratos e proteínas de qualidade com bom equilíbrio de aminoácidos. Tem lipídios, ácidos gordos não saturados e minerais. E, além disso, possui propriedades antioxidantes.

I P J E C **Leite de Castanha de Caju:** a castanha de caju é fonte de proteína e minerais essenciais como cobre, cálcio, magnésio, ferro, fósforo, potássio e zinco. São ricas em vitaminas C, vitamina B1 (tiamina), vitamina B2 (riboflavina), vitamina B3 (niacina), vitamina B6, folato, vitamina E (alfa-tocoferol) e vitamina K (filoquinona). Além disso, é fonte de colesterol bom e de ferro. Com suas propriedades nutricionais auxiliam a manter a saúde do coração, ajudam na formação de glóbulos vermelhos e da saúde bucal e dos dentes. Contribuem no controle do diabetes reduzindo o risco de anemia. Fortalecem o sistema imunológico, previnem doenças cardíacas, além de serem vitais para a saúde dos ossos, tecidos, músculos e órgãos.

**Atenção:** os leites vegetais provenientes de oleaginosas (*nuts*) podem ocasionar reações alérgicas àqueles que têm propensão a isso. Apesar dos benefícios para a saúde, consulte sempre seu nutricionista e seu médico para avaliar sua condição e poder aproveitar o maior potencial dos alimentos de acordo com seu organismo.

**#Desafio30DiasDrBarakat**

| INCLUA | EXCLUA |
| --- | --- |
| Leite de amêndoas e leite de coco e demais leites vegetais | Leite de Vaca |

# • REFERÊNCIAS •


AYUB, M.; AHMED, Q.; ABBAS, M.; QASI, IM.; HATTAK, IA.( 2007). *Composition and adulteration analysis of milk samples*. Sarhad J Agric 23(4):1127–30.

BERK, L. et al. *Nuts and Brain Health: Nuts Increase EEG Power Spectral Density (μV&[-sup2]) for Delta Frequency (1–3Hz) and Gamma Frequency (31–40 Hz)* Associated with Deep Meditation, Empathy, Healing, as well as Neural Synchronization, Enhanced Cogn. FASEB, 2017.

BERRYMAN, CE.; FLEMING, JA.; KRIS-ETHERTON, PM. *Inclusion of Almonds in a Cholesterol Lowering Diet Improves Plasma HDL Subspecies and Cholesterol Efflux to Serum in Normal-Weight Individuals with Elevated LDL Cholesterol.* The Journal of Nutrition, 2017; 147 (8): 1517 DOI: 10.3945/jn.116.24512.

CHANDRASEKARA, A.; JOSHEPH KUMAR, T. *Roots and Tuber Crops as Functional Foods: A Review on Phytochemical Constituents and Their Potential Health Benefits*. International Journal of Food Science. Disponível em: https://www.ncbi.nlm.nih.gov/pmc/articles/PMC4834168/?re-port=reader. Acesso em: 15 de maio de 2018.

FESKANICH, D.; WILLETT, WC.; STAMPFER, MJ.; COLDITZ, GA. *Milk, dietary calcium, and bone fractures in women: a 12-year prospective study.* Am J Public Health. 1997 Jun;87(6):992-7.

FESKANICH, D.; WILLETT, WC.; COLDITZ, GA. *Calcium, vitamin D, milk consumption, and hip fractures: a prospective study among postmenopausal women.* Am J Clin Nutr February 2003, vol. 77 no. 2 504-511.

HANDFORD, C.E.; CAMPBELL, K.; ELLIOTT, CT. (2016). *Impactos da Fraude Láctea na Segurança Alimentar e Nutrição com ênfase especial nos paises em desenvolvimento.* REVISÕES INTEGRADAS NA CIÊNCIA DOS ALIMENTOS E NA SEGURANÇA ALIMENTAR, 15: 130-142. Doi: 10.1111 / 1541-4337.12181.

JACOBS, A.; RICHTEL, M. *Como a Grande Industria Viciou o Brasil em Junk Food.* New York Times. Sept. 16, 2017. Disponível em: https://www.nytimes.com/2017/09/16/health/brasil-junk-food.html. Acesso em: 15 de maio de 2018.

LANOU, AJ.; BERKOW, SE.; BARNARD, ND. Calcium, dairy products, and bone health in children and young adults: a reevaluation of the evidence. Pediatrics. 2005 Mar;115(3):736-43.

OMS. *Exclusive breastfeeding.* Nutrition. World Health Organization. Disponível em: <http://www.who.int/nutrition/topics/exclusive_breastfeeding/en/>. Acesso em: 15 de maio de 2018.

ONNING, G1.; WALLMARK, A.; PERSSON, M.; AKESSON, B.; ELMSTÅHL, S.; OSTE, R. *Consumption of oat milk for 5 weeks lowers serum cholesterol and LDL cholesterol in free-living men with moderate hypercholesterolemia.* Ann Nutr Metab. 1999;43(5):301-9.

ORNISH, DM et al. *Dietary trial in prostate cancer: Early experience and implications for clinical trial design.* Urology , Volume 57 , Issue 4 , 200 – 201.

PECK, P. *Two or more glasses of milk may raise ovarian cancer skills, still doctors aren't advising that women stop drinking it.* WebMD Medical News, May 5, 2000.

SALPIETRO, CD.;, GANGEMI, S.; BRIUGLIA, S.; MEO, A.; MERLINO, MV.; MUSCOLINO, G.; BISIGNANO, G.; TROMBETTA, D.; SAIJA, A. *The almond milk: a new approach to the management of cow-milk allergy/intolerance in infants.* Minerva Pediatr. 2005 Aug;57(4):173-80.

WOOLRIDGE, MW.; FISHER, C. (1988). *Colic, "overfeeding" and symptoms of lactose malabsorption in the breast-fed baby: a possible artifact of feed management.* Lancet 2:382.

CAPÍTULO 9

# FRUTAS

**Você sabia que a fruta é uma sobremesa?** Sim, ela pode ser enquadrada nesta categoria e fazer as vezes do doce sabor da sua alimentação. Mas, como tudo na vida, sem exageros. Se você está se perguntando: "como assim, frutas não estão liberadas?!" Sim, elas estão, claro. Entretanto, devem ser apreciadas em pouca quantidade. Pense na natureza: as frutas, em grande parte, estão em árvores altas, não tão acessíveis ao homem.

Lembram-se do homem paleolítico? Nos tempos primitivos, numa época conhecida como Era Paleolítica ou Idade da Pedra, a civilização era caçadora-coletora, ou seja, a sobrevivência era alcançada através da caça, pesca e extrativismo rudimentar. Frutas eram menos consumidas. E sempre as da estação, afinal, não havia locais como supermercados ou meios genéticos de obter alimentos fora da estação de colheita.

**Dê preferência às frutas da estação. Assim você estará ingerindo um alimento mais puro, sem tantos conservantes e agrotóxicos. Quanto mais fresca, melhor!**

Mais do que se inspirar na alimentação do homem primitivo, trata-se de se espelhar nos aspectos ligados ao comportamento deste hominídeo das cavernas como forma de alcançar qualidade de vida e saúde.

E, para esclarecer sobre como é o melhor a relação do consumo de frutas e a moderação, precisamos falar sobre ela, a frutose. Para muitos, é um ilustre desconhecido, ou conhecido apenas de se ouvir falar. É importante compreender para não sofrer em virtude de seus excessos no organismo.

Para começar, a frutose é um dos maiores causadores de triglicerídeos e esteatose hepática não alcoólica, ou seja, gordura acumulada no fígado. Como ela é uma forma de açúcar que o organismo tem muita dificuldade de sintetizar, já que nem o cérebro nem os músculos utilizam, ela se acumula no fígado, que é o único órgão que se adapta e aceita a frutose.

Ao contrário do que muitos imaginam a frutose em forma de suco não passa de um veneno açucarado. Calma, eu explico. Você até pode tomar o suco da fruta coado, feito em casa. Mas, entenda: num único copo de suco, são aproximadamente 6 laranjas! Isso é um excesso no consumo de frutose. “Ah, mas é natural”. A fruta é uma guloseima, uma sobremesa, preparada pela natureza. Mas para não comermos em excesso, ela não está de fácil acesso, ela está numa árvore, que é necessário subir para colher. Lembrem-se do que expliquei no início deste capítulo: o homem paleolítico, que tinha de acompanhar a colheita de acordo com as estações e, também, depender da caça para sua subsistência.

O que quero dizer é que de forma natural, a fruta é para ser comida, mas aos poucos, e de vez em quando. Deixe-me esclarecer o que acontece em uma alimentação balanceada: se a pessoa tomar, por exemplo, o suco de laranja rico em açúcar, mas com uma refeição que tenha bastante fibras e folhas, já não é um grande problema. Então, desde que faça uma mistura que equilibre os nutrientes, com alimentos ricos em fibras, é possível quebrar a frutose.

Quando bebemos três copos de suco de laranja por dia, isso equivale a chupar entre 24 e 30 laranjas, só que sem bagaço e sem fibra, que são as grandes vantagens nutricionais. Então esse suco é açúcar puro! Tudo que prestava na fruta você jogou fora quando passou pela centrífuga! Você espremeu para ficar somente com o açúcar da fruta! E aí um suco de laranja é um açúcar amarelo. Um suco de mamão é um açúcar laranja. E assim por diante. Para a saúde, não há vantagem nenhuma!

Posso abrir uma exceção, por exemplo, quando vou ao nordeste e tomo um suco de fruta exótica. No dia-a-dia, tomo suco verde, que é feito com água de coco e pouca fruta, ou uma água com limão durante o dia, só isso.

**Está com sede? Beba água! Está com fome? Coma a fruta! Porque a fruta, conforme você come, mastiga, dilacera a fibra, a frutose cai no organismo de forma progressiva, e a sua disponibilização é lenta.**

Além disso, nunca comemos mais que duas frutas seguidas, pois nos saciamos logo. Mas quando é um suco, estamos colocando várias frutas de uma vez, sem suas fibras. Então é açúcar puro! A frutose vai direto para o fígado. Então o melhor da frutose é que ela seja consumida nas frutas *in natura*, mastigadas, e de forma esporádica, para evitar que aquilo que foi feito pela natureza para ser uma espécie de manjar se torne um desprazer e um prejuízo para sua saúde.

Outro ponto crucial que é preciso deixar bem claro: sucos de caixinha. **Atenção com esta ilusão!** A indústria põe tudo de uma vez numa caixinha ou numa embalagem plástica em forma de suco e, você, acreditando que está fazendo um bom negócio para saúde, em especial, se era um adepto dos refrigerantes, vai lá e compra o produto embalado.

Empresas que antes apenas estavam no mercado de refrigerantes, compraram empreendimentos produtores de sucos, assim, mesmo que percam clientes que deixaram de tomar a bebida gaseificada, ganham nas caixinhas de xarope de frutose que eles chamam de suco. Usam na embalagem o *marketing* de um produto 100% natural. E aí você lê isso, leva com amor para sua família, acreditando que está comprando algo saudável, mas isso é um veneno! E o suco em pó *diet*? Alguns são compostos praticamente só de aspartame com corante, ou seja, um grande perigo da mesma forma!

Veja, em **nenhum momento** peço a exclusão das frutas no cardápio! Sendo assim, fica claro que as frutas ou sucos naturais de frutas apresentam muito mais vantagens nutritivas do que os sucos e néctares industrializados.

Isso porque as frutas apresentam, sim, quantidades importantes de fibras, micronutrientes (vitaminas e minerais) e substâncias antioxidantes. Sendo assim, os sucos naturais são considerados melhores opções quando comparados aos sucos industrializados. Uma dica muito importante para que se evite a adição de açúcar aos sucos naturais, é optar pelo uso de frutas frescas e maduras, pois na maioria das vezes apresentam sabor adocicado mais acentuado e são opções infinitamente melhores do que os sucos de caixinha!

**Temos que entender que se a frutose causa tantos malefícios, é preferível não beber tantos sucos ao dia, no máximo o de limão e olhe lá! Vale a pena adequar a forma como você integra a fruta ao seu cardápio, para que possa extrair o melhor deste alimento!**

# OPÇÕES SAUDÁVEIS PARA SUAS RECEITAS

C P J E I M **Abacate**

Quase não contém açúcar e é rico em Ômega-3, que aumenta o bom colesterol. Por conta disso, o abacate é uma fruta bastante indicada, inclusive para portadores do diabetes. Além disso, essa gordura nobre deixa o processo de absorção dos alimentos mais lento, prolongando o tempo de saciedade e mais o abacate tem antioxidante, é rico em sais minerais como Potássio, Ferro, Cálcio e Magnésio, vitaminas A, C, E, K e vitaminas de complexo B.

R I M D J U **Abacaxi**

O abacaxi, também conhecido como ananás, é uma fruta tipicamente brasileira. É rico em nutrientes, vitaminas e minerais, incluindo potássio, manganês, cálcio, magnésio, vitamina C, beta-caroteno, tiamina, vitamina B6 e folato, bem como fibras e bromelina (enzima que digere proteínas no organismo).

O abacaxi traz benefícios como o auxílio na digestão de carnes e outras proteínas. Também auxilia o corpo por ser rico em propriedades antivirais, anti-inflamatórias e antibacterianas.

Essa fruta contribui para melhorar o sistema imunológico, a saúde respiratória e digestiva, além de fortalecer os ossos, reduzir inflamações, prevenir tosse e resfriados. Ainda é um aliado na prevenção ao câncer.

C J I D M N **Banana**

A banana é uma importante ferramenta para o bom funcionamento do organismo. Possui Vitamina B6, vitamina C, fibra, proteínas, fósforo, potássio e magnésio. É rica em triptofano, que é convertido em serotonina e, com isso, ajuda no combate à depressão. As bananas são ricas em antioxidantes, proporcionando proteção contra radicais livres e doenças crônicas.

Facilita a absorção de cálcio, fortalecendo a saúde óssea e protegendo contra cãibras musculares.

Com alto teor de potássio, contribui para baixar a pressão arterial e proteger contra ataques cardíacos e acidentes vasculares cerebrais.

Ricas em pectina, bananas ajudam a digestão e reduzem as toxinas e metais pesados do corpo.

As bananas atuam como um prebiótico, estimulando o crescimento de bactérias boas para a saúde do intestino.

Além disso, banana é matéria-prima para preparar a **biomassa de banana verde.** É feita a partir do fruto não maduro. Foi criada no Brasil, na década de 1990, por Heloísa de Freitas Valle, autora do livro "Sim, nos temos bananas" e criadora do Projeto Pró-Banana Verde.

A biomassa é um excelente ingrediente da culinária, pois pode dar cremosidade ao prato, sem mudar o sabor e ainda por cima agregar valor nutricional à receita. Possui ação prebiótica e probiótica que equilibra a flora e protege a saúde intestinal, auxilia na absorção de nutrientes, protege contra o câncer colorretal e previne a diarreia e constipação. Também tem ação reguladora da saciedade e da quantidade de açúcar no sangue.

### I C Goiabas

Possuem baixo Índice Glicêmico e são ricas em fibras, auxiliando na estabilidade do nível de açúcar no sangue. É outra ótima fonte de antioxidantes, especialmente a vitamina C (até quatro vezes mais que em uma laranja).

### I C Laranja

U Assim como o limão, a laranja é uma fruta popular. Ambas são fontes de nutrientes saudáveis para o organismo. A laranja possui fibra, tiamina (vitamina B1); folato (vitamina B9 ou ácido fólico); potássio e antioxidantes. É rica em vitaminas e minerais. Além disso, é fonte de ácidos orgânicos, como vitamina C (ácido ascórbico) e ácido cítrico.

Seu consumo contribui com o fortalecimento do sistema imune (a famosa laranja como ferramenta de combate a resfriados); também pode prevenir doenças cardíacas devido aos flavonoides; ajudar a prevenir a anemia e formação de cálculos renais. Além disso, o potássio contribui com o controle da pressão arterial.

### I D Limão

C U Cítrico, rico em vitamina C, potássio, fósforo, cálcio e magnésio, o limão é considerado um alimento que protege o sistema imunológico de infecções. Tem propriedades antioxidantes, o que ajuda a proteger as células dos radicais livres. Extremamente popular, a fruta auxilia ainda na liberação de toxinas do organismo, no processo digestivo e, ajuda a manter o equilíbrio do pH do corpo.

Sim, apesar de conter o ácido cítrico, o limão pode ser considerado com propriedades alcalinizantes. O estômago é ácido, não vai alcalinizar? Não é isto. O que ocorre então com o limão? O corpo produz, em contato com o limão, o citrato de sódio (sal alcalino), o que o torna um alimento alcalinizante. Os diversos sais do limão se convertem em carbonatos e bicarbonatos de cálcio, potássio, entre outros, que aumentam a alcalinidade do sangue.

Além disso, a alta concentração de ácido nicotínico protege as artérias, prevenindo problemas cardiovasculares, uma tendência para quem tem a doença. Por fim, ele diminui a viscosidade do sangue, o que é essencial, uma vez que, junto com o diabetes, existem alterações que predispõem a um maior risco de trombose.

P E C I **Maçã**

Fonte de vitamina, A, E, C que são antioxidantes e ajudam a combater os radicais livres. A vitamina C, ainda ajuda na produção de colágeno que mantém a rigidez da pele, mas, o que ganha destaque é uma fibra chamada pectina. Ela se mostra eficiente não só no controle da glicemia como também na redução do mau colesterol. É uma fruta indicada para quem tem diabetes.

I U R E N **Maracujá**

O maracujá possui entre seus nutrientes, minerais, antioxidantes, flavonoides, vitamina A, vitamina C, riboflavina, niacina, ferro, magnésio, fósforo, potássio, fibra e proteína. Esta riqueza nutricional natural o torna favorável à saúde do organismo e um item bem-vindo em uma alimentação saudável.

Suas vitaminas atuam como antioxidantes, que eliminam os radicais livres do corpo e os neutralizam antes que possam prejudicar o organismo. Assim como a laranja, por ser rico em vitamina C, auxilia no fortalecimento do sistema imune. O maracujá contribui ainda com a melhora da circulação e redução da pressão sanguínea.

Além disso, a fruta pode ser uma importante arma em favor do controle da ansiedade, insônia, asma, bronquite e infecção urinária. O maracujá apresenta, entre outras coisas, potencial na manutenção da qualidade do sono.

I J D U **Melancia**

Fruta que além de refrescante e saborosa, é nutritiva. Possui vitamina C, A, Potássio, Magnésio e Vitaminas B1, B5 e B6, rica em licopeno um potente antioxidante e outros componentes que a tornam uma excelente pedida para incluir na alimentação.

A melancia é rica em água, portanto ajuda o hidratar o corpo – para se ter uma ideia, a fruta possui 92% de água em sua composição.

Graças a seu complexo vitamínico, tem propriedades antioxidantes que ajudam a prevenir danos celulares ocasionados por radicais livres.

Contribui para fortalecer a saúde do aparelho digestivo (devido a grande quantidade de água e fibras) e do coração. Além disso, contém citrulina, um aminoácido que pode reduzir a dor muscular.

C I E M **Pêssego**

Possui baixo índice glicêmico e são repletos de fibras, vitaminas, antioxidantes, especialmente vitamina C. Evitam doenças relacionadas à obesidade, como diabetes, síndrome metabólica e doença cardiovascular.

E N I M C **Goji Berry**

De origem asiática, ganharam fama graças a grande quantidade da Vitamina C, um antioxidante e imunoprotetor. Com sabor azedo, é rica em minerais, aminoácidos fazendo dela um aliado na perda de peso. Tem ação protetora da visão, dos sistemas cardiovascular e nervoso.

E D I M C J **Cranberry**

Tem efeito antioxidante e é um dos atrativos dessa fruta de cor e sabor particulares. Auxilia no trato gástrico e urinário, prevenindo gastrites e úlceras. É rica em vitaminas A, C, E e K e minerais como cálcio, ferro, magnésio, fósforo, potássio. Tem ação antibactericida, cicatrizante e antitérmica, além de ser amiga do coração. Promove saciedade, auxiliando na perda de peso. Acelera o metabolismo, tem poucas calorias e ajuda a reduzir o colesterol.

C E D M N **Blueberry**

Também conhecido como mirtilo, é um potente antioxidante e rico em nutrientes como vitaminas C e K, manganês, cobre e fibras, que protegem os sistemas cardiovascular, nervoso, digestivo e urinário.

Sua fama como um auxiliar na redução de peso vem do seu baixo valor glicêmico e por contribuir para o bom funcionamento do intestino. Possui sabor ácido e ao mesmo tempo doce, com propriedades anti-inflamatórias, ajudando a reduzir o mau colesterol (LDL). Existem estudos que apontam a blueberry como um importante auxiliar no tratamento de pacientes com Alzheimer.

**Frutas no #Desafio30diasDrBarakat**

Dentro do contexto do Desafio 30 Dias, podemos incluir uma fruta *in natura* por dia, evitar tomar suco em excesso (idealmente 1 copo por dia) e, sempre (SEMPRE) procure ficar longe dos produtos industrializados – que contêm substâncias nocivas ao organismo, como conservantes, corantes, açúcar em excesso, entre outros.

## REFERÊNCIAS


BLUMBERG, JB. et al. *Cranberries and Their Bioactive Constituents in Human Health.* Advances in Nutrition 4.6 (2013): 618–632. PMC.

COLQUHOUN, J. 25 *Powerful Reasons to Eat Bananas.* Food Matters. Disponível em: <https://www.foodmatters.com/article/25-powerful-reasons-to-eat-bananas>. Acesso em: 15 de maio de 2018.

CONTRERAS-CALDERÓNA, J.; CALDERÓN-JAIMES, L.; GUERRA-HERNÁNDEZ, E.; GARCÍA-VILLANOVAA, B. *Antioxidant capacity, phenolic content and vitamin C in pulp, peel and seed from 24 exotic fruits from Colombia.* Food Research International. Volume 44, Issue 7, August 2011, Pages 2047-2053. Disponível em: https://www.sciencedirect.com/science/article/pii/S0963996910004357. Acesso em: 15 de maio de 2018.

CORDAIN, L. et al. *Origins and evolution of the Western diet: health implications for the 21st century.* The American Journal of Clinical Nutrition, Volume 81, Issue 2, 1 February 2005, Pages 341–354. Disponível em: < https://academic.oup.com/ajcn/article/81/2/341/4607411#sec-20>. Acesso em: 15 de maio de 2018.

D'ELIA, L.; BARBA, G.; CAPPUCCIO, FP.; STRAZZULLO, P. *Potassium Intake, Stroke, and Cardiovascular Disease: A Meta-Analysis of Prospective Studie.* Journal of the American College of Cardiology. Volume 57, Issue 10, 8 March 2011, Pages 1210-1219. Disponível em: <https://www.sciencedirect.com/science/article/pii/S0735109710049764?via%3Dihub>. Acesso em: 15 de maio de 2018.

KRIKORIAN, R. et al. *Blueberry Supplementation Improves Memory in Older Adults.* Journal of agricultural and food chemistry 58.7 (2010): 3996–4000. PMC. Acesso em: 15 de maio de 2018.

MORAND, C. et al. Hesperidin contributes to the vascular protective effects of orange juice: a randomized crossover study in healthy volunteers. Am J Clin Nutr 2011 93: 1 73-80. Disponível em: <https://academic.oup.com/ajcn/article/93/1/73/4597707>. Acesso em: 15 de maio de 2018.

NAZ, A.; BUTT, MS.; SULTAN, MT.; QAYYUM, MMN.; NIAZ, RS. Watermelon lycopene and allied health claims. EXCLI Journal. 2014;13:650-660. Disponível em: <https://www.ncbi.nlm.nih.gov/pmc/articles/PMC4464475/>. Acesso em: 15 de maio de 2018.

PAREDES-LÓPEZ, O.; CERVANTES-CEJA, ML.; VIGNA-PÉREZ, M.; HERNÁNDEZ-PÉREZ, T. *Berries: melhorar a saude humana e o envelhecimento saudavel e promover umavida de qualidade - uma revisao.* Plant Foods Hum Nutr . 2010; 65 : 299-308.

PROJETO Pró-Banana Verde. AFBV - Associação Brasileira de Fomento à Banana Verde. Disponível em: < http://www.brazilhost.com.br/bananaverde/criadora.htm>. Acesso em: 15 de maio de 2018.

RUFFO, M. et al. *Calabrian Goji vs. Chinese Goji: A Comparative Study on Biological Pro perties.* Ed. Barry J. Parsons. Foods 6.4 (2017): 30. PMC. Acesso em: 15 de maio de 2018.

TARAZONA-DÍAZ, MP.; ALACID, F.; CARRASCO, M.; Ignacio MARTÍNEZ, I.; AGUAYO, E.*Watermelon Juice: Potential Functional Drink for Sore Muscle Relief in Athletes.* Journal of Agricultural and Food Chemistry 2013 61 (31), 7522-7528. DOI: 10.1021/ jf400964r. Disponível em: <https://pubs.acs.org/doi/abs/10.1021/jf400964r>. Acesso em: 15 de maio de 2018.

VALLE, HF.; CAMARGO, M. *Yes, nos temos bananas: historias e receitas com biomassa de banana verde.* 3. ed. São Paulo: Ed. Senac São Paulo, 2011.

WABNER, CL.; PAK, CYC. *Effect of Orange Juice Consumption on Urinary Stone Risk Factors.* The Journal of Urology. Volume 149, Issue 6, June 1993, Pages 1405-1408. Disponível em: <https://www.sciencedirect.com/science/article/pii/S0022534717364017?via%25-3Dihub>. Acesso em: 15 de maio de 2018.

ZHANG, Q.; CHEN, W.; ZHAO, J.; XI, W. *Constituintes funcionais e atividades antioxidantes de oito genotipos nativos de Goji nativos*. Food Chem. 2016; 200 : 230-236. Doi:10.1016 / j.foodchem.2016.01.046.

CAPÍTULO 10

# AÇÚCAR

**Ah... o doce sabor do açúcar...** Se você é apegado a alimentos açucarados (assim como eu já fui um dia), esta parte do livro é exatamente pra você. Quem me acompanha e me conhece, às vezes pode se perguntar: *Dr. Barakat, como você consegue viver sem doces?*.

Vou contar uma coisa pra vocês: todos precisamos de açúcar no organismo. Assim como os demais alimentos, ele também possui propriedades benéficas. A questão aqui é: de qual fonte de açúcar nós estamos falando, ou melhor, ingerindo?

Quando procuramos uma opção de doce, a farta maioria é feita à base de açúcar refinado de confeiteiro, ou algum outro tipo destes industrializados, verdadeiros venenos para nossa saúde. Ele está em praticamente tudo. E é aí que mora o perigo. Vamos entender o porquê.

Este produto passa por vários processos químicos e esses elementos intoxicam o organismo. É pobre em nutrientes, possui alto índice calórico, as chamadas calorias vazias. Transforma-se rapidamente em glicose, resultando em picos de insulina, prejudiciais à saúde. Ingerir grandes porções de açúcar aumenta os riscos de desenvolvermos problemas cardiovasculares, diabetes, colesterol alto, obesidade, gastrite, gordura no fígado e déficit de aprendizagem por prejudicar a memorização.

Ele é digerido instantaneamente pelo organismo e os níveis glicêmicos se elevam rapidamente, o que pode ser perigoso por conta do depósito de gordura nas células. Um dos efeitos nocivos da subida rápida e exagerada da glicose sanguínea é o aumento da secreção de insulina pelas células do pâncreas. Esse hormônio é responsável por jogar a glicose para o interior das células, onde ela será metabolizada para se transformar em energia. Insulina em excesso pode baixar as taxas de glicemia rápido demais, o que abre o apetite e faz com que a pessoa coma novamente. Um verdadeiro ciclo.

**E é exatamente disso que se trata o açúcar refinado:** um produto viciante, como uma droga. Isso porque seu consumo estimula a produção de dopamina, hormônio responsável pela sensação de prazer e bem-estar. A ação em nosso organismo, para ser mais exato, em nosso cérebro. O sabor do açúcar é tão prazeroso que liberamos dopaminas e opioides também são excretados. Os opioides, além de induzir a sentir prazer, estimulam a busca por mais comida. Neste estágio, perder o controle é muito fácil! Então se você consome uma refeição que contém muitos desses produtos viciantes ao cérebro, fica cada vez mais difícil de resistir a eles ou mesmo conseguir ter moderação.

Sobre os adoçantes, grande parte é artificial: veja o caso da sucralose, obtido por meio de um processo que altera a estrutura molecular do açúcar, obtendo um produto sintético excepcionalmente estável e aproximadamente 600 vezes mais doce que o açúcar. Esta estabilidade torna a sucralose uma substância não metabolizável pelo organismo.

Prefira mel orgânico e consuma com bom senso.

O aconselhamento é: procure opções saudáveis ao refinado, como o mascavo, demerara, de coco, xilitol e *stevia*. Quanto mais escuro melhor. Veremos cada um deles a seguir.

Aos que seguem um estilo de vida *low carb*: evite. Ao máximo. É permitido fazer uso eventual. Sua fonte de energias está dentro de seus alimentos, não no açúcar. Na medida em que se está no estilo *Low*, a saciedade é prolongada e a insulina fica mais baixa. Isso fará com que o organismo regularize naturalmente um hormônio queimador de gordura antagônico da insulina, chamado glucagon.

**Entendam: a substituição é bem-vinda, mas REDUZIR o consumo é o objetivo, seja qual for o tipo do produto. Por quê? A ideia é reeducar o paladar em relação ao doce.**

Não se trata de proibir ou liberar, mas de aprender a fazer um uso com sabedoria, é preciso desconstruir a relação afetiva com o açúcar refinado. Quem nunca percebeu que, ficando longe do açúcar, é possível se controlar? Basta iniciar o consumo de açúcar que automaticamente o corpo começa a pedi-lo durante o dia inteiro. Portanto, o açúcar deve ser cada vez mais esporádico na sua vida!

Quanto à pergunta sobre como eu sobrevivo sem doces, posso dizer que, na verdade, eles fazem parte da minha vida, sim. Quem já acompanha nas redes sociais aos sábados o Receitas da Rainha viu que em casa também comemos pratos doces. A diferença, como disse no início deste capítulo é quantidade e qualidade. Ou seja, matamos a vontade de uma sobremesa feita com ingredientes que agreguem valor nutricional, sem perder de vista o sabor. Escolhemos ser feliz à mesa, sim! Como? As opções saudáveis de açúcar que mencionei e que aprofundaremos ainda nesse capítulo. Sempre há solução! E, como já sabem: moderação é a palavra-chave. Constelação!

# AÇÚCAR E DESENVOLVIMENTO INFANTIL

O açúcar refinado é um verdadeiro veneno em qualquer idade, mas, sobretudo, nos primeiros anos de vida, quando há formação do paladar. Ele pode ser considerado um inimigo do desenvolvimento infantil. Além de ser vazio em nutrientes, tem poder viciante – como falamos anteriormente. Assim, acontece que a criança associa comer um doce, iogurte tipo *petit suisses*, balas, refrigerantes, sucos de caixinha, por exemplo, a algo prazeroso. E, sem perceber, aperta o gatilho para uma possível compulsão. Crianças predispostas à hiperatividade podem ser prejudicadas pelo excesso de consumo de açúcar, por conta de danos na capacidade de concentração, irritabilidade e ansiedade, graças a fatores como o aumento da concentração de insulina e adrenalina no sangue.

Prefira o açúcar natural dos alimentos: frutas, legumes, raízes e verduras para não viciar o paladar da criança. Estes alimentos oferecem nutrientes importantes para o desenvolvimento saudável. A criança está numa fase de descoberta de sabores e texturas, e poluir seu paladar com comidas açucaradas pode atrapalhar a aceitação a alimentos saudáveis.

**Atenção: a recomendação da pediatria funcional é introduzir açúcar na vida dos pequenos apenas após os 2 anos de idade (pelo menos). Além de protegê-los desse vício, permitirá que as crianças sintam o verdadeiro sabor dos alimentos!**

Nos primeiros anos de vida, as crianças só comem o que lhes é oferecido, ou seja, não é uma escolha que parte delas. Então, é inadmissível que nós, adultos (pais ou responsáveis, tios, avós etc...) sejamos aqueles a criar uma geração de pequenas formigas que poderão se tornar adultos compulsivos por doces com a saúde afetada por conta de um hábito que lhes foi apresentado no momento da formação de seus gostos, do seu paladar. Vamos refletir, ok?

# CONHEÇA OPÇÕES SAUDÁVEIS PARA SUAS RECEITAS

Seguindo a máxima **moderação sempre**,
vamos conhecer as opções para adoçar a vida!

## Mascavo

O processo de fabricação dele é diferente, mantendo a maioria das vitaminas e minerais da cana. Inclusive, a quantidade de nutrientes é maior conforme ele for mais escuro. O melaço da cana ainda está presente, portanto, ele carrega consigo boas quantidades de cálcio, potássio, ferro e magnésio. Entretanto, é importante lembrar que a diferença do valor calórico e de carboidratos não é tão significativa, quando comparada ao açúcar refinado, por isso recomendo evitar exageros. Para os diabéticos, este controle de consumo também é válido. É possível ingerir o mascavo, desde que sua quantidade seja computada como valor calórico e gramas de carboidrato, pois é igualmente absorvido e eleva a glicemia a patamares similares ao açúcar comum.

## Demerara

É rico em vitaminas B1, B2, B6, cálcio, magnésio, cobre, fósforo e potássio, e mantém seu valor nutricional praticamente intacto, uma vez que não carrega aditivos químicos, igual ao açúcar branco refinado. Embora seja rico em nutrientes, é um produto que engorda, pois carrega mais de 300 calorias a cada 100 gramas. O valor de investimento para compra é mais alto, mas não deixa de ser uma boa alternativa para quem não quer mais açúcar branco e nem adoçantes artificiais. Mas permanece o alerta para o consumo bem moderado aos diabéticos.

## De coco

É produzido de maneira rústica e sem adição de químicos. O processo de extração é feito a partir das flores da palma de coco, cujo néctar é retirado e aquecido em uma caldeira, transformando-se em um caramelo espesso. Depois disso, é triturado em pequenos cristais, resultando em um açúcar mais grosso e com aspecto amarronzado. Embora tenha a mesma quantidade de calorias que o açúcar refinado, o índice glicêmico do açúcar de coco é mais baixo, em torno de 35, enquanto o do refinado é de 68. Com isso, a liberação de energia no organismo é muito mais lenta, evitando picos de glicose no sangue, então pode ser uma boa opção para diabéticos e não diabéticos também. As chances de acumular gordura corporal diminuem. É também uma fonte natural de vitaminas B1, B2, B3 e B6. Todos podem consumir o açúcar de coco, desde que não tenham nenhuma alergia específica. Só é importante entender que ele irá de qualquer forma agregar carboidratos à dieta, então não pode ser consumido em excesso.

## Stevia

Sabe aquela vontade de comer doces, que tal usar a *stevia* na receita?! Com ela você sacia o seu desejo sem sair da linha. A *stevia* é um dos adoçantes naturais usados geralmente por quem está em processo de reeducação alimentar, por não possuir calorias e manter o sabor doce.

A *stevia* também é conhecida como açúcar verde e capim doce, por causa de sua origem, extraída de uma planta nativa da América do Sul, descoberta em 1905, a *stevia*. Podemos encontrá-la na forma líquida, comprimidos ou em pó. Seu valor nutricional é preservado, por não conter aditivos químicos como o açúcar branco. Sua capacidade de adoçar é 300 vezes maior que o açúcar comum, não possui calorias e é diurética.

Possui ação hipoglicêmica, estimula a secreção de insulina, o que ajuda na redução da taxa de glicose no sangue. Outro ponto importante é que ela não é digerida nem metabolizada, além de não sofrer modificações ao passar pelo trato intestinal. É rica em sais minerais como cálcio, cromo, ferro, magnésio, fósforo e zinco; e vitaminas do complexo B, C e betacaroteno.

**Curiosidade:**

A ***Stevia*** começou a ser usada como adoçante e planta medicinal há mais de 200 anos pelos índios Guaranis, que habitavam as Florestas Tropicais do Brasil e Paraguai. Ela servia para diminuir o gosto forte da erva-mate e como refrescante bucal. Segundo relatos, a **stevia** também era usada com objetivos medicinais pelo curandeiro para combater sintomas de desconforto abdominal, fadiga física ou emocional.

## Xilitol

Extraído da fibra triturada da cana-de-açúcar, tem aparência branqueada, gosto doce, mas não é absorvido pelo corpo durante a digestão.

Possui metade das calorias dos demais, além de apresentar um baixo índice glicêmico (não provoca picos de insulina), diferentemente do açúcar refinado.

Nos rótulos dos alimentos, vêm especificado se contém ou não xilitol. Existem casos onde algumas indústrias o produzem a partir do milho geneticamente modificado e estes devem ser evitados.

O xilitol pode ser utilizado tanto em bebidas quanto na preparação de doces. Entre os não naturais é a melhor opção por ter baixo valor calórico e por suportar altas temperaturas, podendo ser usado na culinária, mas sempre com moderação. Costumamos utilizar ele em casa, nas Receitas da Rainha.

Outro benefício do xilitol é que ele não contribui para a formação de cáries. Assim como o *stevia*, o xilitol seria uma boa opção.

**#Desafio30DiasDrBarakat**

| INCLUA | EXCLUA |
|---|---|
| Açúcar de Coco | Açúcar branco refinado |
| Mascavo | Adoçantes |
| Demerara | |
| Stevia | |
| Xilitol | |

# • REFERÊNCIAS •

ANTON, S.D. et al. *Effects of Stevia, Aspartame, and Sucrose on Food Intake, Satiety, and Postprandial Glucose and Insulin Levels.* Appetite 55.1 (2010): 37–43. PMC. Acesso em: 15 de maio de 2018.

ASHWELL, Margaret. *Stevia, Nature's Zero-Calorie Sustainable Sweetener: A New Player in the Fight Against Obesity.* **Nutrition Today.** 50.3 (2015): 129–134. PMC. Acesso em: 15 de maio de 2018.

BES-RASTROLLO, M. et al. *Financial conflicts of interest and reporting bias regarding the association between sugar sweetened beverages and weight gain: a systematic review of systematic reviews.* Disponível em: <http://journals.plos.org/plosmedicine/article?id=10.1371/journal.pmed.1001578>. Acesso em: 15 de maio de 2018.

CALVERT, SL. *Children as consumers: advertising and marketing. The Future of Children.* 2008;18(1):205-34.

CENTRO DE MÍDIA DA ORGANIZAÇÃO MUNDIAL DA SAÚDE - *A OMS abre consulta publica sobre diretrizes sobre os açúcares.* 2014. Disponível em: <http://www.who.int/mediacentre/news/notes/2014/consultation-sugar-guideline/en/>. Acesso em: 15 de maio de 2018.

CHI, DL. et al. *Association between Added Sugar Intake and Dental Caries in Yup'ik Children Using a Novel Hair Biomarker.* BMC Oral Health 15 (2015): 121. PMC. Acesso em: 15 de maio de 2018.

KEARNS, CE.; SCHMIDT, LA.; GLANTZ, SA. *Sugar Industry and Coronary Heart Disease ResearchA Historical Analysis of Internal Industry Documents.* JAMA Intern Med. 2016;176(11):1680-1685. doi:10.1001/jamainternmed.2016.5394.

KELL, KP.; CARDEL, MI.; BOHAN, BMM.; FERNANDEZ, JR. *Added sugars in the diet are positively associated with diastolic blood pressure and triglycerides in children*. Sou. J. Clin. Nutr. 2014; 100 (1): 46-52.

POULTER S. *Sugar is the 'new tobacco': health chiefs tell food giants to slash levels by a third*. Daily Mail. 09 January 2014. Disponível em: <http://www.dailymail.co.uk/health/article-2536180/Sugar-new-tobacco-Health-chiefs-tell-food-giants-slash-levels-third.html>. Acesso em: 15 de maio de 2018.

PRAKASH, Indra.; MARKOSYAN, A.; BUNDERS, C. *Development of Next Generation Stevia Sweetener: Rebaudioside M*. Foods 3.1 (2014): 162–175. PMC. Acesso em: 15 de maio de 2018.

SUTTON, RS.; BARTO, AG. *Aprendizagem de reforco: uma introducao*. Cambridge: MIT Press; 1998.

THE NEW YORK TIMES. 12nd September 2016. *How the Sugar Industry Shifted Blame to Fat*. Disponível em: <https://www.nytimes.com/2016/09/13/well/eat/how-the-sugar-industry-shifted-blame-to-fat.html>. Acesso em: 15 de maio de 2018.

VOS, Miriam B. et al. *Added Sugars and Cardiovascular Disease Risk in Children. Circulation*. May 9, 2017, Volume 135, Issue 19. Disponível em: <http://circ.ahajournals.org/content/135/19/e1017>. Acesso em: 15 de maio de 2018.

WHITEHOUSE, CR.; BOULLATA, J.; MCCAULEY, LA. *The potential toxicity of artificial sweeteners*. Disponível em; <https://www.ncbi.nlm.nih.gov/pubmed/18604921>. Acesso em: 15 de maio de 2018.

WHO. *Global action plan for the prevention and control of NCDs*. 2013-2020. Disponível em: <http://www.who.int/nmh/events/ncd_action_plan/en/>. Acesso em: 15 de maio de 2018.

YANG, Q.; ZHANG, Z.; GREGG, EW.; FLANDERS, WD.; MERRITT, R.; HU, FB. *Added sugar intake and cardiovascular diseases mortality among US adults*. Disponível em: <https://www.ncbi.nlm.nih.gov/pubmed/24493081>. Acesso em: 15 de maio de 2018.

# RECEITAS

chef Lidiane Barbosa

**Cozinhar é um ato de amor,**
**de servir as pessoas.**

**Se você nunca cozinhou e essas**
**serão suas primeiras experiências...**
**comece devagar, mas se arrisque.**

**Se errar, persista! Cozinhar é isso!**

Para você que já tem afinidade com as panelas, aqui estão novas e deliciosas possibilidades! Descubra novos sabres e reivente os antigos.

Neste livro você encontrará receitas de fácil execução, para seu dia dia.

Além de saborosas e nutritivas.

E também toda a teoria por trás das escolhas feitas para cada ingrediente utilizado nas preparações. Pois, quando falamos em alimentação saudável, devemos estar atentos ao pré preparo, a quantidade correta que deve ser consumida, a periodicidade e ao modo de cocção escolhido.

Falaremos mais sobre isso em cada uma das receitas.

Comida de verdade, para mim, é aquela preparada com ingredientes frescos, sazonais. Evitando ao máximo caixinhas, saquinhos e alimentos ultra processados.

Priorizar os orgânicos e, quando não conseguirmos ter acesso à eles, priorizar os alimentos respeitando as estações do ano. Assim conseguimos ter maior acesso aos seus nutrientes... fonte de energia de cada um deles.

Não trate o alimento como algo proibido! Não trave uma batalha com a sua comida.

Corra atrás de informação e entenda o que é melhor para você. Respeite sim seus genes, mas, não pense que eles são como uma sentença, um carimbo eterno... podemos sim, mudar a nossa história genética, através da alimentação.

Esse livro é um pequeno começo para grandes mudanças acontecerem.

*Aproveite!*

*Lidi Barbosa*

# Sal temperado

**Ingredientes:**

- 1/2 xícara (chá 125g) de **sal rosa**
- 5 colheres (sopa 50g) de orégano seco
- 5 colheres (sopa 50g) de salsinha seca
- 5 colheres (sopa 50g) de manjericão seco

**Modo de preparo:**

- No liquidificador, bata todos os ingredientes, até que fiquem bem homogêneos e sem pedacinhos.

**Rendimento:** 200g.

**Armazene em local seco e fresco.**

**Dica 1:** Você pode utilizar o sal temperado para temperar saladas, pipoca, peixe, carne e frango. Também pode usar no preparo de arroz e feijão.
**Dica 2:** Troque os temperos da receita pelo tempero de sua preferência, para variar sempre.

Quando comprar sal, escolha sempre aquele que é moído ou não refinado. O sal grosso é um excelente ingrediente. Não passa por processo de refinamento algum. Esse temperinho é perfeito para presentear com saúde. Faça, coloque em vidrinhos e distribua aos seus amigos.

# Gersal

**Ingredientes:**

- ½ xícara (chá 125g) de **gergelim** cru
- ½ xícara (chá 125g) de **sal rosa**

**Modo de preparo:**

- Leve o gergelim à frigideira, em fogo baixo, para torrar (o gergelim vai começar a pular na frigideira).
- Deixe esfriar para processar. Isso é muito importante para que o gergelim, não vire uma pasta.
- Leve ao liquidificador, colocando o sal rosa em baixo e o gergelim por cima.
- Bata em velocidade baixa.

**Rendimento:** 250g.

**Armazene em um pote de vidro bem fechado, em local seco e fresco.**

Dica 1: Você pode utilizar o sal temperado para temperar saladas, pipoca, peixe, carne e frango. No preparo de arroz e feijão.

# Creme de cenoura, abacate e gengibre

**Ingredientes:**

- 1 dente de alho pequeno
- 1 colher (sopa – 10ml) de **azeite de oliva extravirgem**
- 2 cenouras médias raladas – aproximadamente 400g
- 1 fatia de abacate – aproximadamente 100g
- 1 xícara (chá 250ml) de **leite de coco**
- ½ colher (café 3g) de curry em pó
- ½ colher (café 5g) de **sal rosa**
- 1 pedaço de **gengibre** – aproximadamente 10g
- Pimenta do reino moída na hora

**Modo de preparo:**

- Em uma panela, acrescente o alho picadinho e refogue no azeite.
- Acrescente a cenoura raladinha e refogue bem.
- Acrescente o leite de coco, o curry e o sal. Tampe a panela e deixe ferver por 5 minutos.
- Coloque os ingredientes da panela, no liquidificador (se seu liquidificador for de plástico, espere esfriar). Acrescente o abacate, o sal rosa, o gengibre. Bata bem e deixe cremoso.
- Finalize com azeite de oliva extravirgem e pimenta moída na hora.

**Rendimento:** 4 porções.

**Recomenda-se o consumo imediato.**

**Ideal para as noites frias. O gengibre aquecerá essa preparação e vai conferir um sabor especial.**

# Mix de Sementes

**Ingredientes:**

- ½ xícara (chá 30g) de semente de **abóbora**
- ½ xícara (chá 30g) de semente de **girassol**
- ½ xícara (chá 100g) de **castanha do pará** quebrada
- 1 colher (sopa – 10g) de **semente de chia**
- 1 colher (chá 3g) de **açafrão** em pó
- 2 colheres (sopa – 10ml) de **azeite de oliva extravirgem**
- 1 colher (café 3g) de gersal

**Modo de preparo:**

- Coloque todos os ingredientes em uma assadeira e espalhe bem.
- Verifique se os temperos e a gordura estão espalhados por todos os ingredientes.
- Leve ao forno 180°C por 25 minutos.
- Deixe esfriar.

**Rendimento:** 10 porções.

**Validade:** Armazene em pote de vidro por até 2 meses.

Dica 1: Apertou a fome no meio da tarde? Tenha sempre porções desse lanchinho em mãos. Uma explosão de nutrientes que sua saúde vai agradecer.

Dica 2: Salpique em cima de cremes, sopas e saladas.

Quando muitos dizem: você não consome leite de vaca, mas e o cálcio? Como você repõe?
Já sabemos que o leite de caixinha não contém cálcio biodisponível para nós.
Devemos procurar outras fontes de cálcio, como o gergelim e as folhas escuras, por exemplo.

# Bebidas Vegetais de Amêndoas

**(ou outra oleaginosa: Castanha do Pará, Semente de Girassol, Pistache, Macadâmia)**

**Ingredientes:**

- 1 xícara (chá 250ml) de amêndoas cruas
- 3 xícaras (chá 750ml) de água filtrada
- 3 tâmaras sem caroço (ou ameixas) opcional para preparações doces
- 1 pitada de sal rosa

**Modo de preparo:**

- Deixe as amêndoas de molho em água suficiente para cobrir por 8 a 10 horas. Quanto mais tempo, mais cremosa a sua bebida ficará.
- Deixe as tâmaras de molho, em água filtrada, suficiente para cobrir, por 4 horas.
- Despreze a água do molho das amêndoas.
- Retire a casca das amêndoas
- Bata em um liquidificador a água filtrada e as amêndoas.
- Coe a mistura em um voal (*voil*) ou um tecido semelhante a uma fralda, branca (para que não saia tinta, e deixe esse pano apenas para coar leites). Separe a parte sólida da parte líquida.
- Leve a parte líquida ao liquidificador e adicione as tâmaras. Bata bem até ficar bem cremoso.

**Validade:** 5 dias em geladeira ou 90 dias no congelador.

**Para descongelar, deixe em temperatura ambiente e depois bata no liquidificador.**

**Dica 1:** a água em que a tâmara ficou de molho pode ser utilizada para adoçar o próprio leite ou outra bebida que você queira utilizar. Deixe por até 5 dias na geladeira.

**Dica 2:** você pode secar a parte sólida, que fica no voal (*voil*) e colocar em uma assadeira e levar ao forno em temperatura de 160°C, até que seque bem, para que você utilize como farinha de amêndoas em tortas e bolos.

# De Coco

**Ingredientes:**

- 1 xícara (chá 250ml) da polpa do coco verde ou do coco seco
- 3 xícaras (chá 750ml) de água filtrada

**Modo de preparo:**

- Retire a polpa do coco verde ou do coco seco.
- Bata no liquidificador com a água.
- Se você optou por utilizar a polpa do coco verde, vai perceber que ele vai diluir na água.
- Agora, se você utilizou a polpa do coco seco, vai precisar coar.
- Coe a mistura em um voal (*voil*) ou um tecido semelhante a uma fralda ou gaze (branca para que não saia tinta, e deixe esse pano apenas para coar leites). Separando a parte sólida da parte líquida.

**Validade:** 3 dias em geladeira ou 90 dias no congelador. Para descongelar, deixe em temperatura ambiente e depois bata no liquidificador.

**Dica 1:** se você optou por utilizar o coco seco, você pode secar a parte sólida, que fica no *voil* e colocar em uma assadeira, levando ao forno em temperatura de 160°C, até que seque bem, para que você utilize como farinha de coco, em tortas e bolos e granolas.

# De Inhame

**Ingredientes:**

- 1 xícara (chá 250ml) de inhame cru e sem casca
- 4 xícaras (chá 1000ml ou 1 litro) de água filtrada

**Modo de preparo:**

- Corte o inhame em pedaços médios. Deixe de molho, em água suficiente para cobrir, por 8 horas.
- Despreze a água do molho.
- Bata o inhame no liquidificador, com a água.
- Coe a mistura em um voal (*voil*) ou um tecido semelhante a uma fralda, branca (para que não saia tinta, e deixe esse pano apenas para coar leites). Separando a parte sólida da parte líquida.
- Leve a parte líquida ao liquidificador e adicione as tâmaras. Bata bem até ficar bem cremoso.

**Validade:** 5 dias em geladeira ou 90 dias no congelador. Para descongelar, deixe em temperatura ambiente e depois bata no liquidificador.

**Dica 1:** a bebida de inhame é bem neutra, portanto, você poderá utilizar para preparações doces e salgadas.
**Dica 2:** a parte sólida que sobra, a polpa do inhame, você poderá congelar e utilizar em massas de quiche, para enriquecê-las.

# De Castanha de Caju

## (a mais cremosa de todas as bebidas vegetais)

**Ingredientes:**

- 1 xícara (chá 250ml) de castanha de caju, crua e sem sal
- 3 xícaras (chá 750ml) de água filtrada

**Modo de preparo:**

- Deixe as castanhas de molho, em água suficiente para cobrir, por 8 a 10 horas. Quanto mais tempo, mais cremosa a sua bebida ficará.
- Despreze a água do molho das castanhas.
- Bata em um liquidificador a água filtrada com as castanhas.
- Coe a mistura em um voal (*voil*) ou um tecido semelhante a uma fralda, branca (para que não saia tinta, e deixe esse pano apenas para coar as bebidas). Separando a parte sólida da parte líquida.

**Validade:** 5 dias em geladeira ou 90 dias no congelador. Para descongelar, deixe em temperatura ambiente e depois bata no liquidificador.

**Dica 1:** acrescente à mistura 1 colher (sopa) de cacau em pó e 2 colheres (sopa) de açúcar de coco e você terá um delicioso achocolatado.
**Dica 2:** siga o modo de preparo da bebida de castanhas, mas, não coe, bata bastante, até ficar bem cremoso. Você terá um delicioso creme de leite.
**Dica 3:** você pode utilizar a castanha de caju torrada (mas sempre sem sal), pois, são mais fáceis de encontrar, mas, sua bebida, terá um sabor mais forte.

As bebidas vegetais ou leites vegetais são uma excelente troca ao leite de vaca. Conseguimos texturas em preparações, cremosidades em molhos. Não conte que você fez essa troca! Deixe as pessoas experimentarem e depois se surpreenderem.

Leve, delicioso e não deixa nada a desejar ao *spaghetti* feito com farinha. Muitas vezes as massas prontas e industrializadas não nos trazem nutrientes, diferente da abobrinha. Experimente trocar também por pupunha.

# *Spaghetti* de Abobrinha com molho branco de castanhas

## Ingredientes para a "massa":

- Para o *Spaghetti*
- 2 **abobrinhas** italianas médias aproximadamente 500g
- 1 dente de alho
- 1 colher (sopa – 10ml) de **óleo de coco extravirgem** ou **azeite de oliva extravirgem**

## Modo de preparo:

- Limpe e higienize as abobrinhas.
- Com um descascador de legumes, descasque a abobrinha, como se fosse um macarrão.
- Não despreze a casca.
- Faça isso, até que chegue à parte das sementes.
- Pique os dentes e alho e leve à frigideira, com o óleo de coco extravirgem.
- Doure o alho.
- Acrescente as abobrinhas e refogue por 2 minutos.
- Reserve.

**Ingredientes para o molho:**

- 1 xícara (chá 250ml) de castanha de caju, crua e sem sal
- 3 xícaras (chá 750ml) de água filtrada
- Noz moscada ralada na hora
- 1 colher (café 3g) **sal rosa**
- 1 colher (sopa – 10g) de *Nutritional Yeast* ou levedura nutricional – opcional
- Deixe as castanhas de molho, em água por 8 a 10 horas. Quanto mais tempo, mais cremoso o seu creme de leite ficará.
- Despreze a água do molho das castanhas.
- Bata em um liquidificador a água filtrada com as castanhas. Bata bastante, para ficar bem cremoso. Não coe.
- Acrescente os demais ingredientes.
- Leve à frigideira, com a abobrinha. Deixe por 2 minutinhos.
- Finalize com salsinha se desejar.

**Rendimento:** 2 porções.

**Validade:** 2 dias em geladeira. Não deve ser congelado.

**Dica 1:** pode ser utilizado leite de inhame no lugar do creme de "leite de castanhas".

**Dica 2:** a parte da abobrinha que não for utilizada, congele e faça um creme de abobrinhas delicioso (mesma receita do creme de aspargos).

**Dica 3:** acrescente ½ xícara (chá 125g) de cogumelos frescos fatiados e leve à frigideira, junto à abobrinha, quando refogada com o alho.

**Dica 4:** troque a levedura nutricional por 1 colher (café 2g) de alho em pó + 1 colher (café) de cebola em pó.

Experimente colocar gotinhas de limão em suas lascas de abóbora antes de servir. Novos sabores e novas possibilidades, sempre.

A forma como você corta os vegetais é de grande importância, se você quer alcançar a melhor textura e sabor dos alimentos.

# Lascas de abóbora ao forno

**Ingredientes:**

- ½ **abóbora cabotia** com casca – aproximadamente 600g
- 1 colher (sopa – 10g) de **manteiga ghee**
- **Sal temperado**
- Tomilho fresco

**Modo de preparo:**

- Limpe e higienize a abóbora.
- Retire as sementes e reserve.
- Corte a abóbora em lâminas ou lascas.
- Espalhe em uma assadeira, colocando sobre as lascas a manteiga ghee, o sal e o tomilho.
- Leve ao forno pré-aquecido a 180°C por 30 minutos.
- Sirva em seguida.

**Rendimento:** 6 porções

**Validade:** 2 dias na geladeira ou 90 dias no congelador.

**Dica 1:** se quiser, ao levar as lascas de abóbora ao forno, acrescente melado de coco ou melado de cana, em pouca quantidade. Dará um sabor especial. Neste caso, não coloque tomilho.

**Dica 2:** limpe as sementes, retirando o que ficar de polpa da abóbora, nelas, lave em água corrente. Espalhe as sementes em uma assadeira, acrescente sal marinho moído. Leve ao forno 180°C por 15 minutos ou até secar. Você terá um petisco delicioso.

Sabe aquele vinho tinto que tanto gostamos? A uva escura é rica em resveratrol, um excelente antioxidante. Escolha um dia da semana para saboreá-lo com esse delicioso creme, eles *super* combinam, mas, não exagere. Uma tacinha faz bem à saúde e ao coração.

# Creme de Aspargos

**Ingredientes:**

- 1 maço de **aspargos** – aproximadamente 400g
- 1 cebola branca média aproximadamente 60g
- 3 dentes de alho
- 1 colher (chá sopa) de **óleo de coco extravirgem**
- 2 xícaras (chá 500ml) e água filtrada
- 2 colheres (sopa – 20ml) de **azeite de oliva extravirgem** – para finalizar
- **Sal rosa**

**Modo de preparo:**

- Limpe e higienize os aspargos em água corrente.
- Retire a parte de baixo, a mais branquinha e mais dura.
- Coloque os aspargos em uma assadeira, com a cebola, os dentes de alho e o óleo de coco extravirgem.
- Leve ao forno pré-aquecido a 180°C por 25 minutos.
- No liquidificador, bata os ingredientes da assadeira, acrescentando o sal, a água e por último o azeite de oliva extravirgem.
- Bata até que fique bem cremoso.
- Finalize com ervas finas e castanha de caju triturada; colocar pimenta biquinho também deixará seu creme delicioso. Retire as sementes, pois, são nelas que encontramos a ardência das pimentas.
- Sirva em seguida.

**Rendimento:** 3 porções.
**Validade:** 2 dias em geladeira ou 90 dias no congelador.

**Dica 1:** troque a água da receita por bebida de castanha de caju. Seu creme de aspargos ficará muito mais cremoso.
Você poderá utilizar ervilhas frescas, no lugar do aspargo.

Sabe aquela cervejinha sem glúten no final de semana? Combina muito bem com esses chips de raízes.

# Chips de batata doce

## Ingredientes:

- 1 **batata doce** com casca – aproximadamente 300g
- 1 colher (sopa – 10g) de **manteiga ghee** ou **óleo de coco extravirgem**
- Sal marinho moído

## Modo de preparo:

- Limpe e higienize as batatas em um Mandolin ou no ralador, na parte de chips, corte a batata, o mais fino que conseguir.
- Espalhe bem as batatas já fatiadas na assadeira, para que não fique uma por cima da outra.
- Sobre as fatias, coloque a manteiga ghee e acrescente o sal.
- Leve ao forno, pré-aquecido a 180°C, por 35 a 40 minutos, atá que as batatas fiquem bem sequinhas.
- Consumo imediato.

**Rendimento:** 4 porções.

Dica 1: sobre as batatas, coloque temperos, ervas e especiarias, como **cúrcuma** ou **açafrão.**

Dica 2: você pode fazer o chips com qualquer raiz que desejar.

# Pizza de Couve-Flor

## Ingredientes:

- 2 xícaras (chá) **de couve-flor** (apenas os floretes) crua e triturada (pode ser no ralador ou no processador) – aproximadamente 400g
- 1 **ovo** batido
- 1 xícara (chá 150g) de muçarela de búfala ralada
- ½ colher (café 3g) de **sal rosa**
- 3 colheres (sopa –30g) de **farinha de linhaça**
- 1 colher (café 3g) de **cúrcuma**

## Modo de preparo:

- No processador, processe bem a couve-flor, até que fique bem ralinha.
- Coloque em um *bowl* e adicione os demais ingredientes.
- Formará uma massa.
- Unte uma forma de pizza com azeite de oliva extravirgem e com as mãos ou uma espátula, acomode a massa na assadeira, deixe bem fininho.
- Leve ao forno pré-aquecido a 180°C por 35 minutos.
- Retire do forno. Acrescente sobre a pizza molho de tomate (de preferência orgânicos).
- Finalize com muçarela de búfala (não muito, pois, o queijo já foi utilizado na massa).
- Leve ao forno a 180°C por mais 10 minutos.
- Sirva em seguida.

**Rendimento:** 2 pizzas médias.

**Validade:** Conservar em geladeira por até 2 dias.

- Pode ser congelado por até 3 meses.

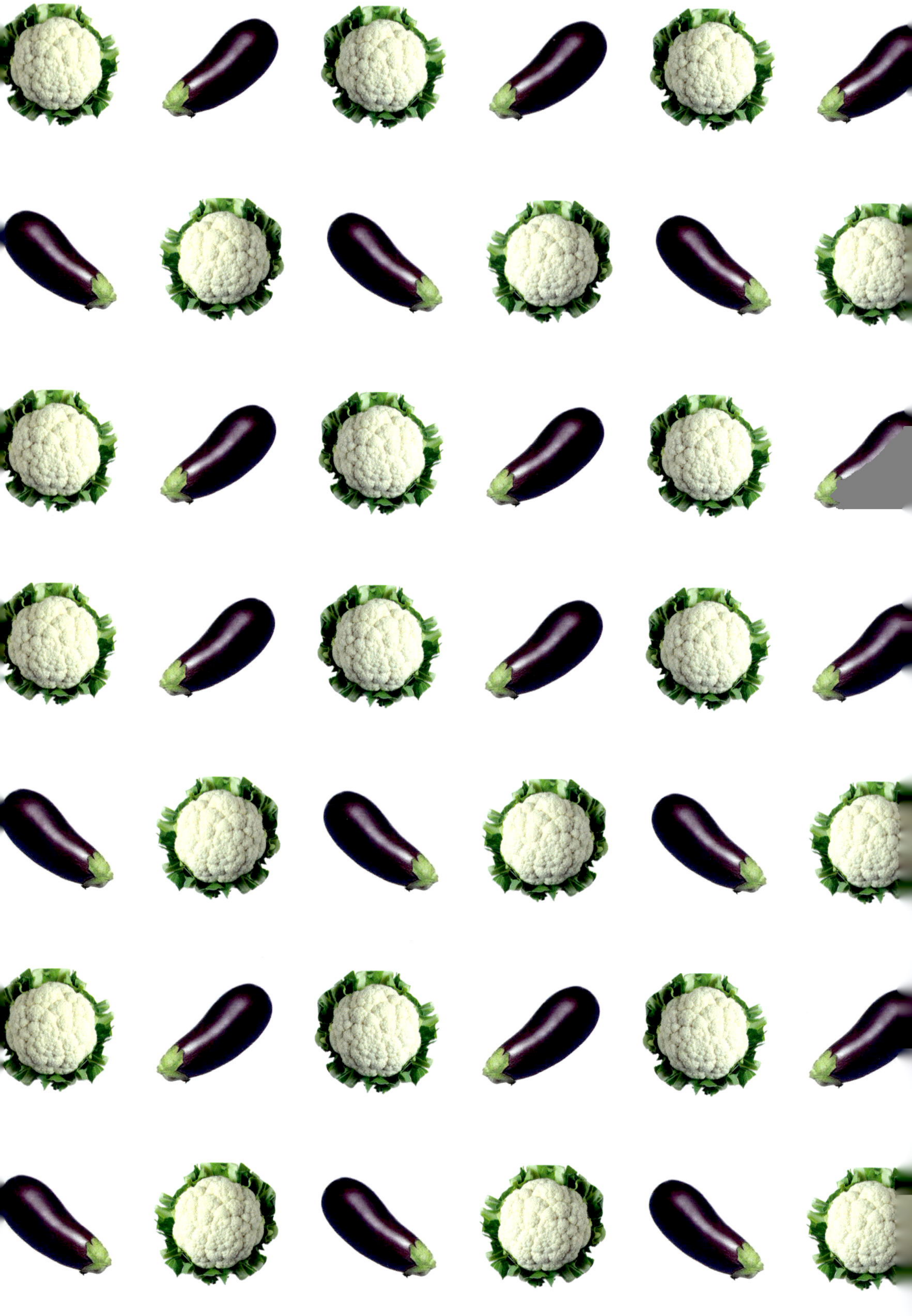

# Sugestão para recheio
# Berinjelas empanadas

**Ingredientes:**

- ½ beringela (aproximadamente 300g).
- ½ xícara (chá 100g) de castanha do Pará triturada
- 2 colheres (sopa 20g) de farinha de maracujá
- 1 colher (café 3g) de sal marinho moído
- 1 colher de (café 3g) de salsinha seca
- 1 ovo inteiro

**Modo de preparo:**

- Corte a berinjela em rodelas, não muito finas.
- Em um prato, com um garfo, bata um ovo. Reserve.
- Em um *bowl*, misture a castanha triturada e a farinha de maracujá. Acrescente o sal e a salsinha. Reserve.
- Passe as rodelas de berinjela no ovo e após na mistura das farinhas.
- Distribua as rodelas em uma assadeira
- Leve ao forno a 180°C por 25 minutos. No meio do tempo de forno, com uma espátula, vire as berinjelas para que ela doure por inteiro.

**Dica:** Convide amigos e pessoas queridas para dividir essa deliciosa pizza e mostrar que a saúde pode ser, sim, recheada de sabor... de muito sabor.

# Snacks de Couve

**Ingredientes:**

- 1 maço de **couve** mineira – aproximadamente 400g
- 1 colher de (sopa – 10g) de **óleo de coco extravirgem** líquido (colocar em banho maria).
- 1 colher de (sopa – 10g) de *Nutritional Yeast* ou levedura nutricional
- **Sal rosa**

**Modo de preparo:**

- Limpe e higienize as folhas da couve.
- Retire o talo e descarte.
- Rasgue as folhas de couve e coloque em um *bowl*.
- Adicione a esse *bowl* o óleo de coco e a levedura *nutritional.*
- Espalhe bem com uma espátula ou use as mãos se precisar.
- Em uma assadeira (ou duas se precisar), disponha as folhas de couve.
- Asse em forno médio, pré-aquecido a 160°C, por 15 a 35 minutos. As folhas precisam estar bem sequinhas.
- Consuma em seguida.

**Rendimento:** 6 porções.

**Validade:** Armazene em local seco e fresco.
Consumir em até 5 dias.

Tire onda com esses *snacks* de couve! Melhor do que qualquer salgadinho que você encontra por aí. Não só em sabor, mas esse é recheado de nutrientes.
Ideal para o lanche no meio do dia.
O *Nutritional Yeast* ou levedura nutricional é um fermento inativo utilizado como suplemento alimentício e, também, como tempero para saborizar receitas veganas, pois, ele leva às receitas um sabor de queijo. Rica em proteínas, fibras e principalmente a vitamina do complexo B12.

Essa moqueca é excelente para reunir a família em um almoço de domingo. Você prepara a moqueca e escolhe alguém para fazer uma farofinha especial.

# Moqueca de Peixe

## Ingredientes:

- 1 posta média de **meca** (ou cação peixes altos) aproximadamente 750g
- 2 pitadas de **sal** temperado
- 1 pitada de **pimenta do reino**
- ½ **limão** – suco
- 2 colheres (sopa – 10ml) de **azeite de oliva extravirgem** ou azeite de dendê
- 2 dentes de alho picados
- 1 cebola roxa cortada em rodelas – aproximadamente 60g
- ½ pimentão vermelho cortado em rodelas aproximadamente 30g
- ½ pimentão amarelo cortado em rodelas aproximadamente 30g
- 4 tomates sem pele, batidos – aproximadamente 400g
- 2 xícaras (chá 500ml) de **leite de coco**
- Sal rosa
- **Azeite de oliva extravirgem e folhas de coentro** para finalizar.

## Modo de preparo:

- Tempere a posta do peixe com: sal temperado, pimenta do reino e limão. Deixe marinando por até 30 minutos.
- Em uma panela grande, acrescente o azeite de oliva extravirgem, doure os dentes de alho.
- Vá colocando na panela: as rodelas de cebola, as rodelas de pimentão e as postas de peixe.
- Acrescente o tomate e o leite de coco.
- Deixe cozinhar por 25 minutos, no máximo, para que o peixe não desmanche.
- Acerte o sal.

- Finalize com azeite de oliva extravirgem.
- Sirva com arroz cateto.

**Rendimento:** 6 porções.

**Validade:** Pode ser armazenado em até 2 dias na geladeira. Pode ser congelado por até 3 meses.

**Dica 1**: se você não consome proteína de origem animal, troque o peixe por banana da terra madura. A quantidade será a mesma do peixe.
Deixe marinando no limão e pimenta antes do preparo e antes de colocar na panela da moqueca, grelhe as rodelas de banana em uma frigideira.

É sempre muito bom consumir as *berries*. Uma dose extra de antioxidante para seu dia. Congeladas ou frescas, são bem parecidas em termos de nutrição, mas é sempre melhor consumir orgânicas e de época.

# Sorvete de Chocolate e Sorvete de Blueberries

**Ingredientes para o sorvete:**

- 3 bananas maduras e congeladas
- ½ xícara (125ml) de bebida de amêndoa
- 2 colheres (sopa) de açúcar de coco
- 1 colher (sopa) de cacau em pó
- 2 colheres (sopa) de semente de chia
- Creme de Blueberrie:
- 1 banana
- 1 copo (250ml) de blueberries congeladas
- 1 colher (sopa) de spirulina (opcional)

**Modo de preparo:**

- Para o sorvete, descasque e congele as bananas.
- Após, retire a banana do congelador e no liquidificador, bata as bananas com o açúcar de coco, o leite de amêndoas e o cacau em pó. Deixe ficar bem cremoso.
- Coloque em um *bowl* e leve ao freezer.
- Para o creme de blueberry.
- Repita o mesmo processo do sorvete.
- Só que as blueberries é que serão batidas congeladas.
- Leve ao congelador no *bowl* do sorvete de chocolate.
- Para servir, retire do freezer 10 minutos antes.

**Rendimento:** 6 porções.

**Validade:** Armazene no congelador por até 3 meses.

**Dica 1:** as blueberries podem ser substituídas por uma fruta bem brasileira: jabuticabas.
Retire o caroço, deixe com a casca (maior fonte de nutrientes) e congele.

# Smoothie Tropical

**Ingredientes:**

- 1 xícara (250ml) de água de coco ou água filtrada
- 2 laranjas – suco
- 1 banana madura e congelada
- 1 fatia de abacaxi
- ½ maracujá
- 1 colher (sopa) de semente de linhaça
- 1 colher (sopa) de óleo de coco extravirgem

**Modo de preparo:**

- Retire a casca da banana e congele.
- Bata todos os ingredientes no liquidificador até ficar bem cremoso.

**Rendimento:** 2 porções.

**Validade:** Pode ser conservado no refrigerador por até 10 dias.

**Para descongelar, deixe na geladeira.**

# Quiche cremosa de cebola

## Ingredientes para massa:

- ½ xícara (chá 125g) de farinha de grão de bico
- ½ xícara (chá 125g) de farinha de **amêndoas**
- ¼ xícara (chá 70g) de farinha de **quinoa**
- 1/4 xícara (chá 70g) de gergelim torrado
- 1 colher (café 3g) de cebola em pó
- ¼ xícara (chá 70g) de proteína vegetal sem sabor (opcional)
- 1 colher (café 3g) de sal temperado
- 2 colheres (sopa 10g) de óleo de coco extravirgem
- Água fria para dar liga.
- Ingredientes para o recheio:
- 1 alho-poró – aproximadamente 100g
- 1 colher (sopa – 10ml) de azeite de oliva extravirgem
- 1 xícara (chá 250ml) de leite de castanhas de caju
- 3 ovos inteiros
- ½ xícara (chá 125g) de muçarela de búfala ou tofu *soft*
- 2 colheres (sopa – 20ml) de salsinha picada
- 1 colher (sopa – 10g) de *Nutritional Yeast*
- 1 colher (chá 5g) sal rosa
- 1 pitada de noz moscada

## Modo de preparo:

- Para a massa, misture todos os ingredientes em um *bowl*, com as mãos. Vá acrescentando a água aos poucos, apenas para dar a liga. Acomode a massa nos fundos e laterais de uma forma com o fundo removível. Leve ao forno pré-aquecido a 160°C por 10 minutos. Retire do forno e reserve.

- Corte o alho-poró em rodelas bem finas. Refogue bem no azeite de oliva. Reserve.
- Bata todos os outros ingredientes no liquidificador até ficar bem cremoso.
- Recheie a quiche com o creme do liquidificador. Acrescente ao creme o alho-poró.
- Leve ao forno 160°C por 40 minutos.
- Sirva em seguida.

**Rendimento:** 10 porções.

**Validade:** Pode ser armazenado na geladeira por até 2 dias. Pode ser congelado por até 3 meses.

**Sirva com uma deliciosa saladinha de sua preferência.**

# Por que optar pela farinha de grão de bico?

Além de não conter glúten, o grão de bico é rico em magnésio e proteínas. É de baixo índice glicêmico! (Você sabe o que é índice glicêmico? É a velocidade com que o açúcar contido nos alimentos, vai parar em nossa corrente sanguínea, quanto mais baixo, mais lento, quanto mais lento, maior é a saciedade). Ajuda a combater o mau colesterol, diminui o risco de desenvolvimento de doenças cardiovasculares e ajuda na qualidade do nosso sono, pois, é rico em serotonina. Ou seja, não adianta não conter glúten, precisa também ser rico em nutrientes.

## Como fazer a farinha de grão de bico?

Compre o grão de bico e deixe de molho por 8 horas (o mesmo que já falamos sobre a quinoa) em água suficiente para cobrir. Despreze essa água e leve o grão de bico ao forno bem baixo (150°C) por 20 minutos ou até secar. Espere esfriar e bata no liquidificador até virar farinha. Lembre-se que os grãos precisam estar bem frios e bem secos. Não, seu liquidificador não vai quebrar! Coloque quantidades pequenas. Essa farinha pode ser armazenada em geladeira por até 15 dias.

Quando for preparar doces, procure manter o sabor do alimento mais natural possível e menos refinado possível. Quanto mais você consumir comidas integrais e uma dieta à base de vegetais, o seu paladar irá se acostumando e você conseguirá fazer as mudanças desejadas. Não é preciso trocar ou mudar tudo de uma vez. Fazendo aos poucos, sua mudança será mais consistente.

# Trufas *raw* de cacau

**Ingredientes:**

- ½ xícara (chá 125g) de banana desidratada
- ½ xícara (chá 125g) de nozes
- 1/2 xícara (chá 125g) de castanha de caju torrada e sem sal
- 1 colher (sopa 10g) de cacau em pó
- 1 pitada de sal rosa

**Modo de preparo:**

- Deixe a banana de molho por 4 horas (ou se quiser deixar de um dia para o outro, não tem problema). Despreze a água. Leve todos os ingredientes no processador. Processe até obter uma pasta. Faça as bolinhas e passe no cacau em pó.

**Rendimento:** 10 trufas.

**Validade:** Pode ser conservado em geladeira por até 3 dias.

- Não deve ser congelado.

**As crianças amam esse docinho!**

# Biomassa de banana verde

**Ingredientes:**

- Bananas verdes com casca
- Água

**Modo de preparo:**

- Tire as bananas uma a uma do cacho, cuidando para que esse corte seja bem rente para que nenhuma parte interna sofra contaminação no momento do cozimento.
- Lave uma a uma, enxaguando bem. Em uma panela de pressão, coloque água até a metade, ligue o fogo e deixe essa água ferver.
- Quando estiver fervendo, coloque as bananas. Muito importante: a água de dentro da panela precisa estar fervendo, pois esse choque térmico faz parte do processo. A água também precisa cobrir todas as bananas.
- Quantas bananas? Quantas couberem em sua panela com segurança.
- Tampe a panela e, quando começar a ouvir o barulho mais alto da pressão, conte 8 minutos e desligue. Deixe que a pressão toda saia naturalmente da panela, não acelere o processo, não abra a panela. Fique atento, pois essa pressão precisa sair em 20 minutos. Ou seja, precisamos contar o tempo de 8 minutos, desligar o fogo e em 20 minutos a pressão precisa sair sozinha. Só se não sair nesse tempo adequado, aí você poderá forçar para que ela saia.
- Destampe a panela e descasque as bananas. Muito cuidado, pois estarão quentes. Mas a retirada das cascas terá que ser feita com elas ainda mais quentes, para facilitar o processo.
- Bata no liquidificador. Se necessário, acrescente água filtrada para formar um purê. Precisa ficar bem lisinho.

**Rendimento:** 10 porções.

**Validade:** Pode ser conservado em geladeira por até 5 dias.
No congelador por até 3 meses.

**Dica 1:** Para descongelar, você deve levar a biomassa congelada em uma panela, fogo baixo, com um pouquinho de água, mexendo sempre.

# Bionese – Maionese de Biomassa

**Ingredientes:**

- 1 xícara (chá – 250g) de biomassa
- 4 colheres (sopa – 10ml) de azeite de oliva extravirgem
- 1 colher (sopa – 10g) de mostarda *dijon* ou grãos de mostarda
- 1 colher (café – 3g) de sal rosa
- 2 colheres (sopa – 20ml) de suco de limão
- ½ xícara (chá – 10g) de temperinhos verdes
- Especiarias: noz moscada (opcional)

**Modo de preparo:**

- Bata todos os ingredientes no liquidificador até que fique uma mistura homogênea.

**Rendimento:** 5 porções.

**Validade:** Pode ser armazenada em geladeira por até 5 dias. Não deve ser congelada.

**Essa, sim, é a verdadeira e deliciosa maionese.**
**A biomassa de banana verde é um grande coringa em nossa cozinha.**
**Não existe aquela frase: "coloque mais água no feijão" aqui é "coloque mais biomassa".**

# Salpicão de frango

**Ingredientes:**

- 300g de peito de frango desfiado
- 1 xícara (chá 250g) de bionese
- 1 cenoura média ralada aproximadamente 200g
- ¼ de beterraba ralada aproximadamente 70g
- 3 colheres (sopa) de salsinha fresca picada
- 1 maçã pequena sem casca em cubinhos
- 1 colher (sopa) de suco de limão
- ½ xícara (125g) de castanha do Pará em pedaços pequenos

**Modo de preparo:**

- Coloque todos os ingredientes em um *bowl* e misture delicadamente, até que todos os ingredientes estejam incorporados pela bionese.

**Rendimento:** 4 porções .

**Validade:** Pode ser conservado em geladeira por até 3 dias. Não deve ser congelado.

# Creme de Avelãs

**Ingredientes:**

- 1 xícara (chá 250g) de avelãs
- 1 xícara (chá 250g) de chocolate 80% sem glúten, sem leite, sem soja e sem açúcar
- ½ xícara (chá 125g) de biomassa de banana verde (opcional)
- 2 colheres (sopa 5g) de xilytol ou de açúcar de coco
- 1 pitada de sal rosa

**Modo de preparo:**

- Torre as avelãs no forno. Cuidado para não queimar.
- Derreta o chocolate em banho-maria.
- Bata as avelãs no liquidificador. Bata bem, até o óleo da própria avelã.
- Acrescente o chocolate derretido, a biomassa de banana verde, o xilytol e o sal. Bata bem, até obter um creme bem homogêneo.

**Rendimento:** 10 porções.

**Validade:** Deve ser conservado em geladeira por até 8 dias. Antes de comer, deixe um pouquinho fora da geladeira ou faça um banho-maria.

Não deve ser congelado.

**Dica 1:** Uma sugestão é transformar seu creme de avelã em uma deliciosa mousse de chocolate com avelãs. Após o preparo, acrescente 4 claras em neve e misture delicadamente.

**Chame a família e compartilhe.**

**Dica importantíssima:** as opções que utilizamos nesse livro adoçarão menos que o açúcar branco refinado. Não sei se você tem o costume de consumi-lo... se tem, por favor, pare aos poucos. Por você! Não por mim.

Se você tem o costume de consumi-lo, utilize as outras opções na medida exata que você encontrará nas receitas. Acostume-se a esse novo paladar.

Nosso organismo é muito inteligente! Leva de 6 a 10 dias para se acostumar com o novo. Bom ou ruim... Quem irá decidir, será você.

Portanto, permita-se! Experimente e dê a chance de adoçar menos a vida, porque ela precisa ser doce, de outras formas! : )

# Suco de melancia termogênico

**Ingredientes:**

- 2 xícaras (chá 500ml) de água de coco ou água filtrada
- 1 xícara (chá 250g) de melancia em cubos
- 1 pitada de pimenta cayena
- ½ xícara (chá 125g) de gelo
- 3 folhinhas de hortelã

**Modo de preparo:**

- Bata bem todos os ingredientes no liquidificador.
- Beba em seguida.

**Rendimento:** 2 porções.

**Não deve ser armazenado e nem congelado.**

# Panqueca de Trigo Sarraceno

**Ingredientes:**

- 3 ovos inteiros
- 1/2 xícara (chá 125g) de farinha de trigo sarraceno ou farinha de sorgo
- ¼ de xícara (chá 50ml) de água filtrada
- 1 colher (sopa 10g) de farinha de linhaça
- 2 colheres (sopa) de azeite de oliva extravirgem
- 1 colher (sopa) de temperinhos verdes (opcional)
- 1 colher (café) de sal rosa

**Modo de preparo:**

- Bata todos os ingredientes no liquidificador.
- Leve uma frigideira plana ao fogo baixo.
- Pincele óleo de coco extravirgem.
- Coloque 1 concha da massa de cada vez.

**Rendimento:** 5 porções.

**Validade:** Pode ser armazenado em geladeira por até 3 dias.

- Não deve ser congelado.

**Dica 1:** Recheie com cenoura, beterraba, abobrinha, cebola, cogumelos... Refogue rapidamente com um pouquinho de azeite de oliva extravirgem e sal temperado.

# Bolo de Chocolate

## Ingredientes:

- 4 ovos
- 1 xícara (250g) de açúcar demerara
- 2 colheres (sopa) de óleo de coco extravirgem
- 2 colheres (sopa) de cacau em pó
- 1 ½ xícara (375g) de farinha de aveia
- 1 colher (sopa) de farinha de maracujá
- 1 colher (sopa) de fermento para bolo
- 1 pitada de sal rosa
- 1 pitada de bicarbonato de sódio

## Modo de preparo:

- Bata no liquidificador os ovos e o açúcar até ficar bem fofinho, bem branco, até dobrar de volume.
- Acrescente os demais ingredientes na ordem da receita.
- Bata bem, até a massa ficar homogênea.
- Leve ao forno a 180°C, pré-aquecido, em uma assadeira média, untada com óleo de coco e com cacau polvilhado.
- Asse por 35 minutos.
- Espere esfriar.

**Rendimento:** 12 fatias.

**Validade:** Pode ser conservado em temperatura ambiente por até 4 dias.

- Pode ser congelado por até 3 meses.

**Dica 1:** Se quiser fazer cobertura, faça o creme de avelãs, só que para cobrir o bolo, sem as avelãs. Você pode substituir a biomassa de banana verde da receita, pela mesma quantidade de leite de coco. Corte o bolo em quadradinhos, espalhe o creme de avelãs e leve à geladeira por 1 hora! Depois me conte...

# Pasta de Amendoim

**Ingredientes:**

- 200g de amendoim torrado sem casca e sem sal
- ½ colher (café) de *stevia* em pó ou açúcar de coco
- 1 pitada de sal

**Modo de preparo:**

- Bata o amendoim no liquidificador, até que ele solte a gordura, desligue o liquidificador, mexa e volte a bater.
- Quando soltar a gordura, o amendoim baterá mais fácil.
- Acrescente os demais ingredientes e bata até ficar bem cremoso.

**Rendimento:** 10 porções.

**Validade:**

- Pode ser armazenado por até 10 dias na geladeira. Não deve ser congelado.

**Dica 1:** ao bater, acrescente à receita 1 colher de sopa de *nibs* de cacau.

# Smoothie de Abacate

**Ingredientes:**

- 2 bananas congeladas
- 1 fatia de abacate
- ½ xícara (125ml) de leite de castanha de caju
- 2 colheres (sopa) de pasta de amendoim

**Modo de preparo:**

- Bata todos os ingredientes no liquidificador.

**Rendimento:** 2 porções.

**Consumo imediato.**

# Kibe de carne e quinoa

**Ingredientes:**

- 800g de patinho moído
- 1 xícara (100g) de grãos de quinoa cozidos
- 1 ovo
- ½ cebola aproximadamente 40g
- 2 colheres (sopa –30ml) de azeite de oliva extravirgem
- 2 colheres (sopa –15g) salsinha picada
- ½ colher (sopa 8g) de sal rosa
- 1 colher (chá 1g) de pimenta síria
- 4 folhinhas de hortelã picada

**Modo de preparo:**

- Coloque todos os ingredientes em um *bowl.*
- Misture bem.
- Acomode em uma forma média, untada com azeite de oliva extravirgem.
- Leve ao forno pré-aquecido a 180°C por 35 minutos

**Rendimento:** 12 porções.

**Validade:** Pode ser conservado em geladeira por até 2 dias.
Pode ser congelado por até 3 meses.

**Dica 1:** se preferir, utilize frango moído no lugar de patinho moído e no lugar da pimenta síria, a mesma quantidade de curry em pó.
**Dica 2:** se preferir, substitua os grãos de quinoa por grãos de sorgo cozidos. Lembre-se sempre de deixar os grãos de molho, qualquer grão, por 8 horas, antes de cozinhar. Em água suficiente para cobrir. Despreze a água do molho. Você estará diminuindo o tempo de cozimento e, principalmente, o impacto em seu organismo dos antinutrientes.

# Bolo de banana

## • Para o caramelo •

**Ingredientes:**

- 1 xícara (120g) de açúcar de coco
- ½ xícara (125g) de água filtrada
- 2 colheres (sopa - 20g) de extrato de baunilha
- 1 colher (café 2g) de bicarbonato de sódio

**Modo de preparo:**

- Coloque a mistura em uma panela (atenção, fogo ainda desligado).
- Misture delicadamente com uma colher.
- Ligue o fogo, deixando em fogo baixo e não mexa mais, para não interfereir no processo.
- Deixe por 15 minutos.
- Enquanto isso, prepare a massa.

## • Para a massa •

**Ingredientes:**

- 6 bananas médias no total (4 para ficar de base do bolo e 2 bananas amassadas para a massa)
- ½ xícara (100g) de manteiga ghee em temperatura ambiente
- ½ xicara (100g) de óleo de coco extra virgem (molinho, não use se ele estiver liquido para essa massa. Coloque um pouco na geladeira, se necessário.

- 1/2 de xícara (100g) de açúcar de coco
- 4 ovos inteiros
- 1 xícara (100g) de farinha amendoas
- 1 xícara (100g) de farinha de coco
- 1 colher (sopa 10g) de fermento em pó

**Modo de preparo:**

- Pré aqueça o forno a 180ºC.
- Fatie as 4 bananas no sentido do comprimento.
- Faça dois cortes por banana.
- Ficaremos assim com três pedaços por banana. Reserve.
- Após os 15 minutos, coloque o caramelo em uma forma redonda média, previamente untada com óleo de coco extra virgem.
- Acomode as fatias de bananas por cima do caramelo, ao redor da forma (sempre melhor fazer em forma redonda) Reserve.
- Na batedeira, bata a manteiga, o óleo de coco e o açúcar de coco.
- Bata bem por 5 minutos.
- Adicione as 2 bananas amassadas e bata por mais 2 minutinhos.
- Adicione os ovos, um por um, e vá batendo aos poucos.
- Acrescente as farinhas aos poucos e bata até obter uma massa lisa e homogênea.
- Por último, acrescente o fermento e bata rapidamente.
- Acomode, delicadamente com uma espátula a massa em cima das fatias de banana.
- Pegue uma forma maior do que a forma do bolo e coloque água quente para cobrir o fundo.
- Coloque a forma do bolo dentro desta forma.
- Asse por 25 minutos em banho maria, forno pré aquecido a 180c. Após esse tempo, retire a forma de baixo e deixe o bolo por mais 10 minutos no forno ligado (só que agora sem o banho maria)
- Deixe esfriar por 10 minutinhos e em seguida, desenforme.

**Rendimento:** 12 fatias

**Validade:** Pode ser conservado em temperatura ambiente por até 4 dias.

- Pode ser congelado por até 3 meses.

**Dica 1:** asse seu bolo em banho maria. Como vamos ter as frutas por baixo, esse é o método mais recomendado para que não queime.

**As combinações dos alimentos são sempre muito importantes.
Na maioria dos casos, os alimentos juntos, se completam,
mais do que separados.
Importante fazer o rodízio dos alimentos.**

# Molho de Tomate Caseiro

## Ingredientes:

- 6 kg de tomates maduros orgânicos (de preferência).
- 2 cebolas grandes picadas – aproximadamente 120g
- ½ alho-poró bem picadinho aproximadamente 50g
- 1 cenoura média aproximadamente 250g
- ¼ de beterraba aproximadamente 70g
- 5 dentes de alho amassados – aproximadamente 20g
- 3 colheres (sopa 30ml) de azeite de oliva extravirgem ou óleo de coco
- ½ maço de manjericão fresco (folhinhas) aproximadamente 25g
- Sal marinho moído e pimenta do reino à gosto

## Modo de preparo:

- Lave os tomates, retire o talo, e na outra extremidade corte um X na casca. Coloque os tomates em água fervendo por aproximadamente 2 a 3 minutos, ou até que desgrude parte da pele.
- Retire da água e coloque em uma bacia com água e gelo para soltar toda a pele.
- Puxe as extremidades soltas.
- Corte o tomate sem pele, retirando a semente. Reserve.

- Em uma assadeira coloque todos os ingredientes, menos o alho-poró e a cebola.
- Leve ao forno pré-aquecido a 150°C por 50 minutos. Se necessário, acrescente um pouquinho de água filtrada.
- Retire do forno e bata no liquidificador.
- Em uma frigideira coloque o azeite de oliva, o alho-poró a cebola e faça um refogado rápido de no máximo 3 minutos para conservar as propriedades dos alimentos. Acrescente o refogado ao molho de tomate, misturando bem e, por final, coloque a salsinha picada (opcional).

**Dica:** O manjericão é uma erva tradicionalmente utilizada nos molhos de tomate; ele oferece um sabor delicioso e característico. Acrescente ao final da preparação.

**Dica:** A cenoura e o tomate são uma excelente combinação, pois, a cenoura retira a acidez do tomate, não sendo necessário acrescentar açúcar à receita. Além do mais, o licopeno do tomate e o betacaroteno da cenoura, ganham força extra quando juntos.

# Fermento caseiro

**Ingredientes:**

- ½ xícara (chá 125g) de fécula de batata
- ¼ xícara (chá 70g) de Cremor Tártaro
- ¼ xícara (chá 70g) de bicarbonato de sódio

**Modo de preparo:**

- Misture todos os ingredientes. Até que fique bem homogêneo.
- Para as receitas, coloque a mesma quantidade que colocaria do fermento industrializado.

**Rendimento:** 250g.

**Validade:** 3 meses em temperatura ambiente. Coloque em um frasco limpo e bem fechado.

**Dica:** Troque os ingredientes, faça as suas preparações, não tenha medo de errar.

# Sobre chef Lidiane Barbosa

A chef que já exerceu a advocacia é apaixonada pela cozinha desde a adolescência, quando se aventurou na cozinha para fugir de um distúrbio alimentar, a anorexia. Numa viagem de intercâmbio pela Europa, em 2002, trocou uma especialização com foco na carreira jurídica pelo curso de técnicas em gastronomia na Escola de Restauració I Hostalatge, de Barcelona.

Não demorou muito para ela mergulhar de cabeça na gastronomia funcional. Fez pós-graduação e outras especializações na área. Em 2015, teve a oportunidade de expandir seus conhecimentos estudando na Le Cordon Bleu, em Paris. Estudou no Natural Gourmet Institute, em Nova York, Escola Jamie Oliver, em Londres e Matthew Kenney Culinary School em Venice Beach

Lidiane tem como "bandeira" a disseminação da comida "de verdade", o uso de ingredientes integrais, frescos e orgânicos, incentivo ao produtor local, a utilização das plantas alimentícias não convencionais (PANCS) e a socialização por meio da comida. É também especialista em gastronomia sem glúten e sem outros alergênicos.

A chef é requisitada para consultorias a restaurantes e bistrôs pelo Brasil. No currículo, são 17 estabelecimentos em Belém, Distrito Federal, Espírito Santo, Mato Grosso do Sul, Minas Gerais, Pará, Paraná, Santa Catarina, São Paulo etc. Ela também viaja o país comandando cursos e workshops de gastronomia funcional. Já foram mais de 300 cursos e palestras, 80 cidades e um total 6 mil alunos.

É autora das receitas do livro Vó Leninha e O Aniversário de Isabela, primeira publicação brasileira com preparações funcionais voltada para crianças, em parceria com uma escritora de Santa Catarina. E também idealizadora do projeto social Crescer e Semear, que leva saúde, sabor e informação para crianças de escolas públicas. O desafio da chef é introduzir receitas produzidas com ingredientes acessíveis e simples, retirados da terra e até com sobras de alimentos.

RECEITAS
DA RAINHA

# Feijoada funcional com costelinha e farofa de bacon
## (ingredientes orgânicos e artesanais)

**Ingredientes:**

- 1kg de costelinha fresca temperada
- 2 pacotes de linguiça paio
- 1kg de carne seca (usamos já dessalgada)
- Folhas de louro
- Pimenta do Reino

**Modo de Preparo:**

- Cozinhe a carne seca já dessalgada com um quilo de feijão preto por aprox. 40 min.
- Refogue as costelinhas e linguiça paio numa panela grande e deixe cozinhar por 2 horas. Acrescente folhas de louro.
- Depois, com o feijão já cozido com a carne seca, despeje na panela em que estão as costelinhas e a linguiça e mantenha no fogo até engrossar caldo.

**Dica:** reserve as costelinhas servir separadamente.

### • Couve •

**Ingredientes:**

- Couve orgânica
- Alho
- Manteiga Ghee

**Preparo**

- Refogar a couve no alho com manteiga ghee

## • Farofa com Bacon artesanal •

### Ingredientes

- ½ kg de Farinha de amêndoas
- Um punhado de oleaginosas trituradas
- Bacon artesanal
- Salsinha
- Cebola
- Alho
- Sal rosa
- Pimenta

### Preparo

- Refogue a cebola e o alho. Acrescente o bacon. Coloque farinha e vá mexendo. Acrescente as oleaginosas trituradas e a salsinha. Sal e pimenta à gosto.

**Não usamos arroz. Nossa feijoada tem alto teor de gordura e baixo teor de carboidrato simples. Isso é muito importante porque quando você segue uma dieta rica nos dois, o carboidrato de alto índice glicêmico dá um estímulo na insulina. Se o pico de insulina (ele quem dá o sinal para nós reservarmos energia) só encontrar carboidratos, você terá glicogênio nos músculos, mas se ela encontrar gorduras, as injetarão nas células. Então, a dica é: toda vez que fizer uma refeição rica em gordura, baixe bastante os carboidratos de seu prato e vice-versa, se fizer uma refeição com pouco carboidrato, aumente a porcentagem de gordura. Por isso a dieta *Low Carb* contribui para diminuir a resistência insulínica e ajuda a emagrecer.**

**Vídeo em:**

https://www.instagram.com/p/BiHpFRbn6I-/?taken-by=doutorbarakat

# Saint Peter em crosta de amaranto

## Ingedientes

- 4 a 6 filés de Saint Peter
- Sal à gosto
- Limão
- Lemon Peper
- 3 ovos orgânicos
- Farinha de Amaranto em flocos
- 2 colheres de sopa de levedura nutricional
- Banha de porco ou óleo de coco

## Modo de preparo

- Tempere os filés Saint Peter com sal, limão, lemon peper. Deixe marinar por 1 hora.
- Em um recipiente coloque a farinha de amaranto em flocos, levedura nutricional (misture homogeneamente). Coloque uma pitada de sal e uma pitada de tempero lemon peper.
- Em uma recipiente redondo bata ligeramente três ovos.
- Passe os filés no ovo e na preparação da farinha de amaranto. Após empanados, frite os filés na banha ou no óleo de coco.

**Essa mesma receita pode ser utilizada para empanar outros alimentos, como carnes e ovos.**

# Bolo Bara

## Ingredientes

- 3 xícaras de farinha de coco
- 1 xícara de óleo de coco
- 3 ovos
- 1 xícara de xilitol
- 2 xícaras de leite de coco
- 1 xícara de damasco picadinho
- 1 xícara de banana nanica picadinha
- 1 colher de chá de canela
- 2 colheres de fermento em pó
- Manteiga Ghee para untar

## Modo de Preparo

- Com as mãos, misture a farinha, os ovos, o xilitol e o leite de coco num recipiente redondo.
- Depois acrescente o restante dos ingredientes. Após incorporá-los na massa, coloque o preparo numa forma oval ou redonda untada com manteiga Ghee e farinha de coco. Leve ao forno. Asse por aproximadamente 35 a 40 minutos.
- Desenforme o bolo e por cima e polvilhe um pouco do xilitol peneirado.

**Dica:** Passe o xilitol no termomixer para então polvilhar por cima do bolo. Dá o mesmo efeito de um açúcar de confeiteiro.

# Pão Sueco

## Ingredientes

- 60 g de farinha de ervilha vermelha
- 60 g de farinha de grão de bico
- 400 ml de água
- Sal marinho e alecrim a gosto
- 2 folhas de papel manteiga importado
- Azeite de boa qualidade

## Modo de preparo

- Coloque os ingredientes na panela com água. Cozinhe até desgrudar do fundo da panela. Unte as duas folhas do papel manteiga com azeite e coloque a massa que foi cozida entre elas. Abra com um rolo de madeira. Leve ao forno e asse por 10 minutos ou até dourar.

# Caponata

## Ingredientes

- 2 pimentões vermelhos
- 2 pimentões amarelos
- 2 pimentões verdes
- 3 berinjelas
- 3 cebolas
- 5 dentes de alho espremidos
- 2 colheres de vinagre de maçã
- 1 xicara de nozes picadas grosseiramente
- 1 vidro de azeite de boa qualidade
- Sal rosa e tempero lemon pepper a gosto
- Salsa picadinha

**Indicamos que os ingredientes devem ser orgânicos, sobretudo os pimentões**

## Modo de preparo

- Depois de lavados, corte os pimentões, as berinjelas e as cebolas em tiras. Coloque um pouco de azeite em uma forma grande e acrescente todos os ingredientes nesse refratário.
- Misture bem tudo e coloque o restante do azeite.
- Cubra com papel alumínio e leva ao forno por meia hora.
- Depois tire o papel alumínio e deixe no forno até que seque a água que costuma ser produzida pelos legumes.

# Rascunhos de receita

faça suas anotações aqui